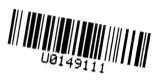

跟台大登山會這些年

陳 福 成 著

文 學 叢 刊
文史哲出版社印行

國家圖書館出版品預行編目資料

跟台大登山會這些年／陳福成著. -- 初版. --
臺北市：文史哲出版社, 民 113.05
面；　公分. --（文學叢刊；481）
ISBN 978-986-314-674-2（平裝）

863.55　　113007844

文學叢刊 481

跟台大登山會這些年

著者：陳福成
出版者：文史哲出版社
http:// www.lapen.com.tw
e-mail：lapentw@gmail.com
登記證字號：行政院新聞局版臺業字五三三七號
發行人：彭正雄
發行所：文史哲出版社
印刷者：文史哲出版社
臺北市羅斯福路一段七十二巷四號
郵政劃撥帳號：一六一八〇一七五
電話886-2-23511028・傳真886-2-23965656

定價新臺幣三八〇元

二〇二四年（民一一三年）五月初版

ISBN 978-986-314-674-2　　10481

臺大山訊
95（下）
國立台灣大學教職員工文康活動推行委員會　登山分會刊物
中華民國95年8月1日出刊

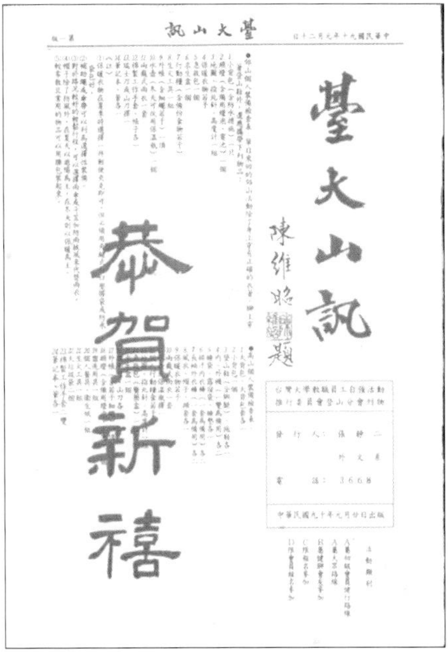
臺大山訊
臺大山訊
陳維昭題
恭賀新禧

臺大山訊
96（下）
國立台灣大學教職員工文康活動推行委員會　登山分會刊物
Mt. Jade Main Peak
Elevation 3952m
中華民國96年8月1日出刊

臺大山訊
96（上）
國立台灣大學教職員工文康活動推行委員會　登山分會刊物
中華民國96年2月1日出刊

臺大山訊
97（下）
國立台灣大學教職員工文康活動推行委員會 登山分會刊物
中華民國97年7月10日出刊

臺大山訊
97（上）
國立台灣大學教職員工文康活動推行委員會 登山分會刊物
中華民國97年2月1日出刊

臺大山訊
99（上）
國立臺灣大學教職員工文康活動推行委員會 登山分會刊物
中華民國99年2月1日出刊

臺大山訊
98（上）
國立台灣大學教職員工文康活動推行委員會 登山分會刊物
中華民國98年2月15日出刊

臺大山訊
100（上）
國立臺灣大學教職員工文康活動推行委員會　登山分會刊物
中華民國100年2月1日出刊

臺大山訊
99（下）
國立臺灣大學教職員工文康活動推行委員會　登山分會刊物
中華民國99年7月15日出刊

臺大山訊
101（上）
國立臺灣大學教職員工文康活動推行委員會　登山分會刊物
中華民國101年2月1日出刊

臺大山訊
100（下）
國立臺灣大學教職員工文康活動推行委員會　登山分會刊物
中華民國100年7月1日出刊

臺大山訊

102（上）

國立臺灣大學教職員工文康活動推行委員會 登山分會刊物

中華民國 102 年 2 月出刊

臺大山訊

101（下）

國立臺灣大學教職員工文康活動推行委員會 登山分會刊物

中華民國 101 年 7 月 15 日出刊

臺大山訊

103（上）

國立臺灣大學教職員工文康活動推行委員會 登山分會刊物

中華民國 103 年 1 月出刊

臺大山訊

102（下）

國立臺灣大學教職員工文康活動推行委員會 登山分會刊物

中華民國 102 年 7 月出刊

師兄弟三人行(阿里山，2009.6.17)

序　從台大登山會說起

說爬山
即非爬山
是名爬山

因為所謂山
有時候不是山
讓人很難看清它
你便過不了這座山
別小看
一座小小的山
會壓死人的

我年輕的時候
由於不識山的真面目
也是自己不夠真誠
不能以謙卑的態度
去尊重一座山
常在山中迷路
甚至被一些小山頭
踢來踢去

每一個小山頭
或大山頭
都是一個江湖
詭異又複雜
我就在這江湖——山頭間
被踢來踢去

一個意外
把我踢到台灣大學的登山會

到了台大登山會
我才知道怎樣爬山
怎樣認識一座山的真面目
才能順利、安全的攻頂
首先，登山千萬要
真誠、謙卑
態度要低
不論大山、小山
都是不好惹的山頭
但只要你做好準備
真誠對待一座山
都能安全過關
享受登山的樂趣

每一座山的漾態
都不一樣
要有愛心、耐心、虛心
去對待，山便如
夢中情人
那般可愛
吸引著你去登一座座山
在山中
與山對話
情話綿綿

跟台大登山會二十年了
現在深感此會
是一個修行的道場
不光是修現在

修未來
甚至把年輕時代那些山頭
也修成一段可愛的故事
台大登山會
予有功焉

順帶一述：筆者所有已出版著、編、譯作品（如書末著作目錄），都放棄個人所有權。贈為中華民族之文化公共財，凡在中國（含台灣）地區內，任何出版單位都能自由印行，廣為流傳，嘉惠每一代炎黃子孫。

中國台北公館蟾蜍山　萬盛草堂主人 **陳福成** 誌於
佛曆二五六七年　西元二〇二四年元月）

跟台大登山會這些年

目 次

第一章　關於台大登山會

台大登山會，全稱是國立臺灣大學教職員工文康活動推行委員會登山分會。可視狀況簡稱台大登山會、台大登山社、台大登山隊，或本會本社等。

台大登山會，成立於一九六四年（民53），非正式尚可推前到一九五九年（民48），到今（二〇二四）年正好六十年大慶。本會目前是台大教職員工文康活動推行委員會下，四十多個社團之一，且是最盛大的，會員名錄已快排到二千號，當然現行仍繳費活動只有數百人。

本會有完善的組織章程，按《登山分會章則》，本會置會長一人，任期二年，連選得連任一次。另設幹事會，下設總務組、嚮導組、旅遊組、高山組、資料組，各組置組長一人。（依民國一〇六年十二月六日第九次修訂，詳見《臺大山訊》（一一二年上）。

登山活動難免有風險，本會於民國九十四年三月八日94年度第一次幹事會議通過，設置《登山分會急難救助基金設置及運作管理辦法》，並設〈基金管理委員會〉，以會長為主任委員。可見本會在組織、管理、運作上，都非常完善。

按《臺大山訊》一一二年（上），本會服務幹部名錄，會長之外，顧問和幹事共27名，榮譽嚮導（會長委任、協助帶行程）有6名。名單如下：

會　　長：鄭乃禎

顧　　問：白健二、徐年盛、張靜二、陳文翔

總 幹 事：吳依倩

副總幹事：陳惠美

幹　　事：黃萬來、許顯誠、江雪卿、張玉珠、呂碧玲、許淑慧、陳學人、詹麗雪、潘文傑、高事宜、陳華國、王碩盟、林繼昌、柯文俊、宋延齡、蔡懷楨、李鴻春、洪耀聰、薛文証、王美玲、翁菲萍

榮譽嚮導：鄭添福、劉姿吟、林寶貴、朱全、盧郁郁、宋福祥

按本會《章則》第八條，「本會聘請歷屆會長為顧問，指導會務。」

按第七條，幹事會所設五組，其職掌、服務幹部分工如下表：

本會各組職掌及服務幹部分工

組別	工作內容	組長及組員
總務組	行政支援、會計出納、器材使用保管等	陳惠美（組長）、潘文傑、吳依倩
嚮導組	活動行程規劃及帶隊（含受理報名）、登山路線踏查、辦理嚮導訓練、活動行程安全查核等	陳學人（組長）、黃萬來、白健二、許顯誠、徐年盛、江雪卿、張玉珠、呂碧玲、許淑慧、張靜二、顏瑞和、詹麗雪、潘文傑、高事宜、陳華國、王碩盟、陳文翔、林繼昌、柯文俊、宋延齡、吳依倩、陳惠美、蔡懷楨、李鴻春、洪耀聰、薛文証、鄭乃禎、王美玲、翁菲萍、鄭添福、林寶貴、朱　全、盧郁郁、宋福祥
旅遊組	旅遊行程規劃及帶隊（含受理報名）	盧郁郁（組長）、徐年盛、、洪耀聰、鄭乃禎、劉姿吟
高山組	規劃安排高山行程活動	陳文翔（組長）、徐年盛、陳惠美
資料組	會員及登山路線資料蒐集整理、建檔，活動照片整理，登山會網頁及會刊編輯等	吳依倩（組長）、潘文傑、朱全、呂碧玲
Line 群組管理員		張靜二

資料來源：《臺大山訊》112(上)P.2.

組織完善，又有極佳的管理運作，必有豐富的行程，給台大教職員工（含退休人員），更多親近大自然的機會，吸引許多熱愛自然的同仁好友，相約一起來爬山，到森林中散步、健走、休閒、眾樂樂！

本會每年以台灣地區為範疇，大約排訂一百五十到二百個行程，有半天、一天、兩天、三天以上各類行程。分別以《臺大山訊》每半年出刊，公告每個行程的詳盡資訊，方便會員依自己身體狀況，適宜選擇自己所能參加的行程。按民國一一二年度（二〇二三年元月廿五日到二〇二四年二月廿五日），《臺大山訊》所刊出的行程，簡記其活動名稱。

二〇二三年

元月登山行程活動名稱

新店碧潭東西岸河濱健行、龍鳳谷走到竹子湖、豹山溪步道上象山（新春開登，會長每年在終點發每人一個紅包，很有意義）。

二月登山行程活動名稱

磺溪彩虹步道、谷關七雄之二：波津加山與屋我尾山（2天）、貴子坑親山步道、暖壽山到頂寮山、奇岩山西峰↓奇岩山↓唭哩岸山↓軍艦岩↓丹鳳山連走、新店柴埕到南勢角山、小南港山到白雲森林小學、土城太極嶺到天上山、貓空樟樹步道賞魯冰花、金山獅頭山、瑞芳苧仔潭古道經小粗坑到九份、福州山到富陽森林、南港茶山步道賞花品茶。

三月登山行程活動名稱

天元宮楓樹湖古道、大屯群峰縱走、八里占山下潮音洞、台大水源校區到萬華河濱公園、萬里冷水堀石洞上頂山下瑞泉溪古道、竹子湖賞海芋、天母古道上紗帽山、恒春大縱走（4天）、淡水漁人碼頭、基隆河右岸健行、姜子寮絕壁步道、宜蘭礁溪五峰旗。

四月登山行程活動名稱

基隆雙塔步道順遊白米甕砲台、草嶺古道縱走桃園谷、石碇淡蘭古道、嘉義梅山到三義火炎山（三天）、萬里磚廠山到瑪鍊溪步道、宜蘭抹茶山、二叭子植物園、八里左岸、二〇二三第15屆台灣IVV健行大會、桃園龜山福源山步道、汐止金龍湖到內溝山翠湖、大坪古道上磺嘴山、基隆河左岸河濱健行。

五月登山行程活動名稱

台大水源校區到馬場町、桃園龜山福源山到鶯歌光明山、軍功山中埔山到富陽、萬芳一四〇高地、孝子山↓慈母峰↓普陀山、陽明山上半嶺步道到水圳步道、石碇淡蘭古道到烏塗溪、內湖愛心縱走、大崙尾山、鳶尾山步道到鳶山東峰上長春嶺、魚路古道上至擎天崗、燕溪古道上大崙尾山。

六月登山行程活動名稱

土城太極嶺經五城山到天上山、黎和生態公園上中埔山、淡水到漁人碼頭、土城雷公岩上火焰山、福州山到富陽、溪山古圳↓巡水步道↓平菁步道、絹絲瀑布到冷水坑、新北石門神秘湖到麟山鼻地質景觀步道、無耳茶壺山、猴洞坑瀑布步道。

七月登山行程活動名稱

暖東峽谷步道、三貂嶺站到石壁坑溪夢幻瀑布、新店獅頭山、福州山下富陽森林、菜公坑山→大屯自然公園→二子坪步道、坪頂古圳到清風亭、仙跡岩漫步、樟山寺經貓纜到指南宮。

八月登山行程活動名稱

燕溪古道上大崙尾山、絹絲瀑布到冷水坑、景美山到仙跡岩、天母水管路上文化大學、坪林南山寺到獅公髻尾山步道、楨子寮山到楨子寮砲台、陽明山公車總站上紗帽山步道、內雙溪古道登石梯嶺、景美山到文山森林公園、桶後越嶺古道、面天山到向天山步道、大崙尾山到玄天上帝廟、油羅山。

九月登山行程活動名稱

虎山人文環之徑上虎山峰、牡丹火車站過三貂嶺隧道、福壽山農場和合歡溪之旅（三天）、台鐵望古車站→望古瀑布群→嶺腳寮山→嶺腳瀑布、內寮古道→竹篙山南峰→松石草原、七股山走魚路古道、政大環山親水文學步道、加九寮下紅河谷步道、淡蘭古道中段轉菁桐古道、桶後林道健行、石梯坑古道→苦命嶺（紅毛山）→南雅山O健走。

十月登山行程活動名稱

楓櫃斗湖步道→牛寮埔步道→硬漢嶺步道→林稍步道→牛港稜步道、平溪忘憂古道、隆嶺古道、豹山生物環之徑上豹山峰、福隆山步道接尖山步道、容軒園→潮境公園→七斗山→望幽谷、澳底火炎山到新厝山、樂雪縱走（樂山林道→大板根→北坑山→雪見森林）（三天）、象山健行、婆婆橋經大崙尾山到翠山步道、野人谷瀑布到五分寮山、鶯歌石山→牛灶坑山→龜公山。

十一月登山行程活動名稱

牡丹石笋古道上石笋尖、滿東縱走（滿月圓森林→東滿→北插天山岔路口→拉卡山岔路口→東滿西側→東眼山森林）、救千宮步道上樟山寺、內厝登鵝尾山到新圳頭山、苗栗橫坪背山、二〇二三 IML 國際健行、天母水管路上金黃翠峰瀑布、熊空林道登竹坑山到熊空山、政大到指南宮來回、三貂嶺站→幼坑古道→大華車站、象山漫步、台大水源校區到馬場町。

十二月登山行程活動名稱

獅山森隧上獅山峰、猴山坑山到金頭山、彰化橫山→松柏坑山→金柑樹山→忘憂森林（2天）、基隆河左岸健行、新竹鳳崎落日步道、象山漫步、麥田山莊上仙跡岩、圓山十美、基隆獅球嶺步道。

二〇二四年

元月登山行程活動名稱

元旦登九五峰、象山漫步、指南國小步道上樟山寺接石獅腳步道、鶯歌孫龍步道（宏德宮即孫臏廟到碧龍宮的步道）、福州山下富陽森林園、草山水道→尖山→玉瀧谷→竹子福。

二月登山行程活動名稱

雙園河濱公園到古亭河濱公園、劍潭古寺→劍南路→靜修宮（新春開登）、虎豹獅象連走、樟湖→樟樹步道賞魯冰花。

第二章 跟台大登山會這些年

跟台大登山會這些年，大約是一九九九年（民88）我從台灣大學退休的事。次年（二〇〇〇年）開始跟著台大登山隊，走了一些高山。（也有跟其他登山社、在此不記），僅簡記歷年跟台大隊的行程。

部分行程因年代久遠、資料散失或當時未記下，本章記錄不完全，有多個年度的記錄遺失，造成「走過沒有痕跡」。船過水無痕，可惜！

二〇〇〇年（民89）登山行程

十一月，石鹿大山。

十二月，司馬庫斯神木群。

二〇〇一年（民90）登山行程

三月十一日，魚路古道上擎天崗。
四月廿八到廿九日，加里山順遊神仙谷。
六月二日、三日，玉山攻頂。
六月十七日，桶後越嶺。
七月十四、十五日，鎮西堡、毒龍潭、觀神木。
十月六日，睏牛山，妻同行。
十二月廿二、廿三日，霞克羅古道。

二〇〇二年（民91）登山行程

二月廿三、廿四日，花蓮兆豐農場，沿途拜廟。
四月廿一日，大桐山。
五月三到五日，三叉山、向陽山、嘉明湖。回來後在《臺大山訊》發表一篇紀行。
七月十八到廿一，雪山主峰、東峰、翠池。回來後在《臺大山訊》發表長詩〈雪山盟〉。

八月廿日，與會長張靜二教授等一行，勘察大溪打鐵寮古道、草嶺山，順道去向經國先生靈前致敬。

十月十八到廿日，大霸尖山（行程含大、小霸、伊澤山、加利山），回來在《臺大山訊》發表長詩，〈聖山傳奇錄〉。

十一月十六日，波露山（在新店）。

二〇〇三年（民92）登山行程

四月三到六日，司馬庫斯、雪白山、鴛鴦湖、棲蘭神木群。在雪白山附近，看到很多野生一葉蘭。

四月十二、十三日，再到司馬庫斯觀賞千年神木群，神木都以周公、孔子、孟子等名號命名。

六月十四日，卡保逐鹿山，行程難度高。

十月十日到十三日，南湖大山、審馬陣山、南湖北峰和東峰。

二〇〇六年（民95）登山行程

元月廿八日，烏來西羅岸步道（屬二〇〇七年）。

二〇〇七年（民96）登山行程

九月八日，二坪頂古道。
九月廿二、廿三日，桃山、武陵農場。
十月廿七、廿八日，巴博庫魯山、棲蘭山、棲蘭池，再下行一一〇林道0型縱走。
十二月八日，礁溪鵲仔山、圓通寺。

二〇〇八年（民97）登山行程

三月十六日，樟山寺。
三月三十日，竹圍健走淡水。
四月二十日，二龍山、長春觀、花園新城。
四月廿七日，二叭子植物園健行。
五月十八日，軍艦岩、丹鳳山、照明宮（情人廟）。
五月廿五日，新店小獅頭山、小高麗坑山、五峰山。
六月廿九日，台大後山（福州山、富陽、中埔山）。

七月十三日，景美溪左岸健行。
七月二十日，新店溪河濱步道健行。
九月七日，深坑烏月山。
九月廿一日，銀河洞、待老坑、樟山寺。
九月廿八日，南勢角烘爐地。
十月十二日，二格山。
十二月廿一日，淡水捷運站到漁人碼頭健行。

二〇〇九年（民98）登山行程

元月四日，大香山、樟山寺。
元月十一日，圓通寺（中和）。
二月十四日，東勢格古道（平溪）、登九龍山、臭頭山，後沿東勢格溪支流，走到東勢格十三號大草原。
二月十五日，五峰山、小高麗坑山、大崎腳。
二月廿二日，海飛寺健行。
三月十四日，夫婦山。

三月十五日，新店溪河濱健行。
四月五日，烘爐地土地公廟。
四月十九日，中正山、大屯群峰。
五月三日，二龍山、長春觀、花園新城。
五月十七日，新店溪河濱健走。
六月廿一日，政大後山上樟山寺。
（下半年資料欠）

二〇一〇年（民99）登山行程

二月廿一日，二龍山、長春觀、花園新城。
三月七日，新店溪河濱健行。
三月十四日，台大水源校區到果菜市場。
三月廿一日，新店、溪洲部落、小碧潭。
三月廿八日，景美溪右岸走到政大。
四月十一日，指南宮、草濫大榕樹、二格山。
四月廿五日，深坑尾寮古道、炮子崙古道。

五月二日，忠義山環山健走。

五月十六日，內湖白鷺鷥步道。

六月十三日，中華技術學院到九五峰。

八月一日，政大上樟山寺。

八月八日，政大到七張健行。

九月五日，政大上指南宮。

九月十九日，深坑草地尾、大坑外股、草地頭健行。

十月十日，動物園走到指南宮。

十月十七日，和美山、萬壽山、灣潭山、海會寺。（和美山又叫碧潭山，在新店碧潭之西岸）

十月廿四日，海巡署上仙跡岩。

十月三十一日，木柵動物園→青龍宮→炮子崙步道，再循產業道路走到深坑。

十一月廿一日，南勢角烘爐地。

十二月十九日，內湖金龍寺一遊。

十二月廿六日，福州山下台北後花園（舊彈藥庫）。

二〇一一年（民100）登山行程

元月十六日，新店陽光公園到小碧潭。
二月二十日，軍艦岩、丹鳳山、照明宮（情人廟）。
三月十三日，政大到指南宮。
三月二十日，新店和美山環山步道。
四月三日，新店溪古亭到萬華河濱公園。
四月十日，土城慈惠堂健行。
四月十七日，大香山、待老坑山到杏花林。
五月十五日，內湖白鷺鷥山漫步。
五月廿九日，國旗嶺、圓通寺到玉皇宮。
六月廿六日，景美橋下至景美溪右岸到政大。
七月十七日，政大上樟山寺。
七月三十一日，政大貓空環山健行。
八月十四日，台灣警察專科學校上仙跡岩。
九月十一日，福州山下台北後花園。

十一月六日，兩河（基隆河、淡水河）交會處C型健走，捷運蘆洲站走到關渡碼頭，滾滾河水，形勢逼人。

十一月十三日，貴子坑親山步道。

十一月廿七日，草嶺古道（福隆到大里天公廟）。

十二月四日，中正山（彌陀山）上下。

十二月廿五日，政大上樟山寺。

二〇一二年（民101）登山行程

元月一日，南勢角烘爐地土地公廟。

元月八日，大香山、樟山寺下政大。

元月廿九日，（新春開登）鯉魚山、碧山岩、白石湖吊橋，會長在終點站發紅包，每人一百元。下山後，俊歌的好友鄭館壹，在德安百貨宴請我等，信義、修歌、小馬、我和一山友。

二月五日，毋忘在莒步道上碧潭山。

二月十九日，軍艦岩、丹鳳山、情人廟。

三月四日，大香山、樟山寺。

三月十一日，政大上指南宮。
三月廿五日，台灣警察專科學校上仙跡岩。
五月十三日，草楠登二格山。
五月廿七日，內湖白鷺鷥山健走。
六月三日，新北投捷運站上中正山。
七月八日，仙跡岩漫步。
七月廿二日，新店小獅頭山。
八月廿六日，茶葉古道（政大上貓空三玄宮）。
九月二日，政大上樟山寺。
九月十六日，指南宮到草楠縱走。
十月廿一日，天母磺溪步道上翠峰瀑布。
十月廿八日，承天朝山步道至火焰山。
十一月廿五日，動物園到指南宮。
十二月廿三日，新店溪古亭到萬華河濱公園。

二〇一三年（民102）登山行程

元月二十日，海巡署上仙跡岩。
二月三日，絹絲瀑布上竹篙山。
二月十七日，屈尺古道、岐山廟、濛濛谷。
三月三日，象山、南港山稜線。
三月十七日，淡水捷運站到漁人碼頭。
三月廿四日，福州山下台北後花園。
四月廿七日，礦嘴山。
四月廿八日，雷公岩上火焰山。
五月五日，菁山小鎮、絹絲瀑布、擎天崗。
五月廿六日，海巡署上仙跡岩。
八月十八日，大香山、樟山寺。
（下半年資料欠）

二〇一四年（民103）登山行程

元月五日，政大上樟山寺。妻同行，到樟山寺後再走到杏花林，中午在「龍門客棧」午餐，慶祝結婚34週年。

元月十二日，劍潭山。

二月九日，（新春開登）新莊牡丹心環山步道。

三月九日，新店溪古亭至萬華河濱公園。

三月十五日，七星山主峰、凱達格蘭遺址。

三月廿二日，內湖龍船岩、白石湖山、大崙頭古道。

三月廿三日，政大上樟山寺。

四月六日，福州山下台北後花園。

四月二十日，紅樹林、漁人碼頭。

六月廿二日，大溝溪清水步道、鯉魚山下大湖。

九月七日，象山健行。

九月廿七日，指南宮後山上猴山岳。

九月廿八日，新店小獅頭山。

十月十九日，老地方、劍潭山。
十月廿六日，白鷺鷥山步道。
十一月三十日，新莊牡丹心環山步道。
十二月七日，從福德國小登九五峰。

二〇一五年（民104）登山行程

元月十一日，海巡署上仙跡岩。
元月十八日，深坑大樹下至炮子崙步道。
元月廿五日，樟湖、樟樹步道慢行。
二月一日，政大上樟山寺。
三月一日，(新春開登）動物園至青龍宮。
三月十四日，文間山、大崙尾山、五指山、風櫃嘴。
五月三日，台大水源校區至華中橋。
六月廿一日，福州山下台北後花園。
七月十二日，大直雞南山步道。
十一月八日，烘爐地（南勢角捷運站到南山福德宮）。

十一月十四日，（校慶健行）水源校區到小碧潭公園。

二〇一六年（民105）登山行程

元月一日，四分里山、九五峰。
二月十四日，（新春開登）政大到青龍宮。
（本年其他各月資料欠）
（二〇一七、二〇一八、二〇一九年上半年，均欠）

二〇一九年（民108）登山行程

九月八日，環大台北五之一：新店溪段。
九月十八日，八里左岸健行。
九月廿一日，軍功山、土地公嶺古道、拳山古道。
九月廿五日，永建國小上仙跡岩。
九月廿九日，內湖忠勇山。
十月二日，士林芝山岩步道健走。
十月五日，環大台北第一段之貓空段。

十月六日，政大上樟山寺。
十月十三日，環大台北五之三基隆河左岸段。
十月十九日，筆架山。從二格公園→二格山→筆架山→炙子頭山→西帽子岩→石碇老街。全程走八個小時，難度很高。
十一月六日，台大水源校區到華中橋。
十一月十日，環大台北五之五景美溪段。
十一月十六日，（校慶健行）辛亥捷運站→中埔山→福州山→芳蘭路→校園巡禮→傅鐘前。
十一月二十日，福州山下富陽森林公園。
十一月廿七日，政大上樟山寺。

二〇二〇年（民 109）登山行程

元月五日，海巡署上仙跡岩。
元月八日，萬芳一四〇高地（抱子腳山）、軍功山。
元月十二日，承天禪寺、天上山。
元月十九日，天寶宮上象山。

二月二日，（新春開登）淡水行政中心、天元宮。

二月廿三日，台大水源校區到馬場町。

三月八日，景美山圳後山。

五月六日，水源校區到大稻程碼頭。

五月十六日，環大台北五之一新店溪段。

五月三十日，捷運北門站→社子島→百齡左岸公園→捷運圓山站。

八月二日，土城雷公岩上火焰山。

八月三十日，永建國小上仙跡岩。

十月廿八日，文間山、劍潭山。

十一月十五日，台大水源校區到馬場町。

十二月六日，虎山行。

十二月二十日，軍艦岩、丹鳳山。

十二月廿七日，貴子坑親山步道。

二〇二一年（民110）登山行程

元月十日，內雙溪小溪頭健行。

元月十七日，樟樹、樟湖步道。
元月廿四日，關渡親山步道→嘎嘮別山（忠義山）。
元月廿七日，康樂山、聖明山、牛稠湖山。
二月三日，福州山下富陽森林公園。
二月七日，白鷺鷥山步道。
二月十四日，劍潭山、老地方、玄天上帝廟。
二月廿一日，（新春開登）捷運奇岩站到關渡宮。
二月廿八日，新莊牡丹心健走。
三月七日，海巡署上仙跡岩。
三月十四日，救千宮步道上樟山寺。
三月廿一日，台大水源校區到萬華河濱公園。
四月十八日，土城雷公岩上火焰山。
（之後因疫情停止活動）

二〇二二年（民一一一）登山行程

（活動暫停）

二〇二三年（民 112）登山行程

四月三十日：基隆河左岸河濱健行（松山到新生公園）。
五月七日：軍功山—中埔山—富陽公園。
五月十日：萬芳一四〇高地。
五月廿一日：大崙尾山。
六月四日：黎和生態公園—中埔山。
七月九日：新店獅頭山（小獅山）。
七月三十日：樟山寺—健康步道—指南宮。
八月十三日：景興段景美山—仙跡岩。
十月八日：豹山生物環之徑—豹山鋒。
十一月五日：木柵恒光橋—救千宮步道—樟山寺。

台大登山會成立至今六十年了，從最初簡易行程到現在已發展成「綜合多元全面」的登山組織。可以說是全台最優秀、健全的登山會，理由如下。

第一、每年排出約一百五十個行程上下，可以照顧到所有的人（現職、退休、眷屬）。從會走路的娃娃，到百歲老人（只要能走路），都可以找到適合的行程（如河濱步道），開心的參與登山會。

第二、有很多「登山家」的行程，適合年輕的挑戰者。這些行程以台灣百岳為主，如玉山、雪山、大小霸、雪白山、南湖、奇萊、三叉、向陽、嘉明湖、南北縱走等。每年都會排幾個百岳行程，筆者年輕時參加了廿五岳，在台大登山會完成百岳有多人。

第三、安全管理做的很好，不論高山、郊山都重視安全。在我的印象裡，沒有發生過山難、沒有死人。（此處指教職員工登山會，另有學生登山會不在此述。）

第四、組織、管理、運作均完善（見第一章）。每年春節後的「新春開登」，會長在終點站發紅包，每人百元，讓成員感受到親切、用心和溫暖。

第三章 登山想什麼?這一世我們同路的證據

看山（一）

看山是什麼
流水的聲音有了答案
兩片白雲走進傾聽
有風雨聲
再仔細聽
各大山頭爭論不休
相持不下
這山太複雜了
看不出是善是惡

看山（二）

看山是什麼
鳥叫蟲鳴有了答案
百花爭艷詮釋什麼
再仔細觀聽
一花一世界
一葉一如來
太妙了
這山是什麼
我得深思

撿破爛的阿公（一）

一個撿破爛的阿公
困在叢林裡
被大樓壓縮
勞瘁又瘦削的
影子，在巷弄穿梭
叢林太大
你被消溶
看不見你的掙扎

撿破爛的阿公（二）

你撿到一堆空瓶
人生不空了
中午啃完一個饅頭
倒在車站椅織夢
他在夢中淺笑
許多人生命空空
而他擁有
做夢也會笑

三人行

我們三人行
曾行遍祖國大地千山萬水
志同道合
味道亦同
這奇妙的因緣
不思議！
不思議！

看山（三）

看山都是山
千山萬水看不盡
你說山是夢境或宇宙
千山總帶著萬水
萬水總擁抱千山
原來三千大世界
萬山萬水
都是一家人

愛因斯坦想（一）

愛因斯坦驗證理論
把空間剝光衣服
會怎樣
必須實驗
空間橫躺扭曲
產生巨大吸引力
吸引你
必須入侵並統一空間
溶成一體

愛因斯坦想（二）

愛因斯坦設想週到
入侵之前
要給空間提升體溫
兩造發生戰役
雙方快速升溫
幾回大戰
空間顫動
成一隻姝麗寵物

愛因斯坦想（三）

經一億光年
終於找到宇宙黑洞
此刻空間是你的
黑洞，任你自由進出
洞中產生水患
起初口水
口水變洪水
洪水沖倒兩造
空間真厲害

愛因斯坦想（四）

大科學家認為
理論要經多次驗證
也許工作太累
他和空間都攞平了
倒向對方懷裡
剝光衣服仍不滿足
空間的皮也剝
肉也溶了
戰場也溶化

愛因斯坦想（五）

為驗證真理
愛因斯坦一再進出黑洞
他仍不很清楚黑洞
故一再進出
浸淫在浸淫中
溶解重製
解構又結構
檢驗真理唯一的方法
就是實踐

愛因斯坦想（六）

經許多次實驗
實驗到老
得出普遍性法則
他已非他
空間亦非空間
物質更非物質
時間最愛在黑洞中
黑洞是永恒的吸引力
引你隨時進出

愛因斯坦想（七）

真理求證將要完成
兩造完成統一
統一也不是永久的
終會趨向空滅
任由進出很短暫
人類所見的
空間、時間和物質
全是假相

傳情的方法

春天的夜晚，在窗口
掛起一隻耳朵
思念
能吹動她窗前的風鈴
寒夜中
月，點一盞燈
光，溫一壺酒
能慰他思愁

愛情都出山了嗎（一）

宇宙間最強大的力量
除萬有引力
就是愛情了
能叫人要死要活
死後復活
各位都見證過
現在呢
愛情都出山了嗎

愛情都出山了嗎（二）

什麼？出山了
來不及參加告別式
未免太無常
死的太快
這麼快就死了
今後還有誰
相信愛情
愛情都出山
何處尋愛情

愛情都出山了嗎（三）

就是不相信
愛情全都出山了
歷史絕不成灰
愛情絕不會都成骨灰
愛情能使物種再生
必然可以無中生有
因為愛情是
一種發明
人人是發明家

教堂（一）

科學文明越發達
這種清潔公司越多
很多人需要
人在外頭混兩天就髒了
裡髒到外
等不到星期天
就要進去洗一洗
阿門
一切交給主

教堂（二）

剛洗完不久
酒家混一晚
身心到處黑烏烏
再進去洗
牧師的嘴是強力洗潔精
一洗就白
牧師說，髒不須你負責
一切交給神

這座山的漾態（一）

幽幽淡光中斜攲
一座山
不大不小的山
雲霧中靜靚裊裊
是她的夢鄉
挺立的山峰微微波動
順著雲淡風輕下行
是巫山的雲和雨
泉谷間渃鄰淙淙

這座山的漾態（二）

泉谷有愛戀的水聲
慵懶身形在斜坡草原
水聲漾著艷麗雲彩
我一口咬住山
左手爬山
右手涉水
再啜一口玉液瓊漿
這光景完全回歸
物種之初始

這座山的漾態（三）

不求山有山
不求水有水
不要彩衣，不要雲影
樹與籐在交纏中
神昏顛倒
直搗最深處找答案
依然解不開山水的命題
為何我們生生世世
總有甜蜜的糾纏

第四章　見山不是山，走過這一世的證據

台大登山會

大叢林中有些味道相同的人
就像這掛，一顆心
常隱於深山
因為，天外
遇到的事，不可思議
於是我們創會組隊
長征百岳

我的爬山哲學

味道相同的人
有不同的哲學
我比較在意
自己可以在山裡
放生幾日，甚至
放生成一隻
野生動物
這樣才能真正成為
一座山的同志

一座山的美感

用欣賞一個美女的心態
欣賞一座山的美感
很貼切
因為你必須溫柔體貼
最要是用情專一的
爬山
會有無尚的享受
山的美麗和激情
否則，小心出事

玉山行（一）

很多人把玉山當神
在我心中
眾生平等
我與玉山是知音老友
很多人說玉山陡峭危險
我以為
你的心態才危險
玉山是個平凡人

玉山行（二）

一年上了兩次玉山
上癮了
老想與山外遇
尤其是玉山
讓我惜玉憐香
下山又想上山
難到不累嗎
與夢中情人約會
你會叫累嗎？

愛妻登玉山

可愛的女人
上了山不一樣
她慢慢的
像爬山虎
越過許多牆
深谷斷崖都擋不住
玉山竟被我妻
征服了

嘉明湖

所有登山者的最愛
是嘉明湖
絕對說中大家的心思
如何形容她的美
所有的語言文字都失能
只能說
她是藏於深山
不食人間煙火的
林志玲

有愛同行

行走於紅塵
一花一世界
千山獨行
有誰能與你常同行
愛是人間珍品
有愛常相伴
何其有幸

老夫這樣子

老夫自從退出江湖
就不像做人了
變成一隻鳥到處飛
或一匹
行空的馬
或放生在深山中的
野獸
此時老夫這樣子
像個野人

沉重的人生

身為人
背負許多使命
國家民族　事業家庭
人生多沉重
就連上玉山
都背負著這一大包
裡面裝的
是今生要完成的
使命

忘了何處

背後是山　山後是海
或天空
忘了何處
總之不會是宇宙之外
與好友并行
群山迤邐
山的純粹連結著空色
把登山者
融於大寧靜中

在山的懷裡

爬山
不外是想在山的懷裡
與山水林木同在
每向前走一步
他們都退居我身後
一朵雲飄過來
被我接住，突然
一座山倒向我，被我扶住
並扶正，爽啊！

在山的頭上

年輕在職場上打混
常被人騎在頭上
等到我有機會
騎在人家頭上
我又不忍
如今我有機會騎在山頭
總以謙卑和尊重的態度
面對所有的山頭

第五章　爬山修行，乘佛法行過神州大地

大唐順宗皇帝問道（一）

有一天，順宗皇帝問佛光如滿禪師有關三身問題：

佛從何方來？
滅向何方去？
所言常住世，
佛今在何處？

大唐順宗皇帝問道（二）

如滿禪師回答說：

佛從無為來，滅向無為去
法身滿虛空，常住無心處
有念歸無念，有住歸無住
來為眾生來，去為眾生去
清淨真如海，湛然體常住
智者善思惟，更勿生疑慮

大唐順宗皇帝問道（三）

順宗皇帝尚有疑
進而再問：
佛向王宮生，滅向雙林滅
住世四十九，又言無法說
山河與大海，天地及日月
時至皆歸盡，誰言無生滅
疑情猶若斯，智者善分別

大唐順宗皇帝問道（四）

如滿禪師再回答說：

佛體本無為，迷情妄分別

法身等虛空，未曾有生滅

有緣佛出世，無緣佛入滅

處處化眾生，猶如水中月

非常亦非斷，非生亦非滅

生亦未曾生，滅亦未曾滅

了見無生處，自然無法說

禪定（一）

《六祖壇經・坐禪品》：

惠能大師說禪定
外離相為禪
內不亂為定
外禪內定
是為禪定

玉山主峰

禪定（二）

外在無住無染的活用是禪
內心清楚明了的安住是定
外禪內定、禪定一如
對外，面對五欲六塵
生死諸相皆不動心
對內，心無貪愛
安住無染，便內外一如

排雲山莊
海拔3402公尺
林務局嘉義林區管理處 製

一寸龜毛重九斤

有弟子問：
如何是西來意？
九峰勤禪師答：
一寸龜毛重九斤
禪法不在東覓西稱中
而在自心啓悟密密意中
向外緣求不得

財富五家共有

世間財富是誰的？
是五家共有
天然災害、人為災難
貪官污吏、盜賊
不孝子女
萬般帶不走
只有業相隨

七聖財

《法可經》記載
出世間法財有七種
稱七聖財
信仰、聞法、精進
持戒、慚愧、布施
定慧
是修行人真財富

信仰

《華嚴經》云：
信為道源功德母
長養一切諸善根
信仰、信心
是一切善行的根本
如入寶山挖寶
信仰是學佛人第一財富

聞法

以聞思修
入三摩地
正是學佛的第一步
多聞薰習
從聽聞正法契入佛道
佛法難聞
得聞即殊勝之財富

精進

學如逆水從舟
不進則退
要精進專注向上
堅持努力完成
必能收果
故精進就是財富
不精進則貧窮

持戒

戒是不侵犯而尊重
有戒德之人
必受尊重信賴
戒律保護我們不失人身
如交通規則保護行人安全
持戒是善法階梯
是進入佛道的根本財富

慚愧

《佛遺教經》說
慚愧之服
無上莊嚴
慚者，對不起自己
愧者，對不起別人
能有慚愧心
才能產生改過力量
也是修道者的財富

布施

佛陀講四攝或六度
都先說布施
布施是菩薩道第一課
世俗人被五欲套牢
學佛人要從枷鎖中解脫
布施是一種財富

定慧

學佛人心常清淨
自然由定心生慧
慧能通達事理
決斷疑念的能力
有了定慧
才能解脫生死的束縛
是修行人追求的境界
最上之財富

第六章　躲入山裡，神州邊陲荒蕪之島

三兄弟

我們是沒有血緣關係的
三兄弟
我們一起走過神州大地
一起皈依星雲大師
一起在台大當志工
一起參加登山會
一起參加許多活動
這輩子
我們始終會在一起

會長發紅包

惡魔島上這個
造反聖地
也有很可愛的地方
例如勤於爬山的會員
每在春節後第一次登山
由會長親自發紅包
很可愛吧
台大登山會

紅包的價值

登山會長頒我一紅包
意義重大
代表我身體健康
也代表我樂群
所以這紅包
價值連城啊
有如在火車站前
有一塊地

可以安身立命的地方

這輩子
身為革命軍人
從未想過與台大結了
深厚的因緣
退休後
還是台大人
可以參加台大活動
真是安身立命的地方

不會飛的白鷺鷥

沒有看到一隻
會飛的白鷺鷥
倒看到一群
至少五六十隻
學歷也很高
不會飛的白鷺鷥
他們因為寂寞
來找同類
聊八卦解悶

白鷺鷥的獨白

沿著綠色步道
白鷺鷥們
用腳
慢慢的飛
我們也有翅膀
只有在發揮
想像力時
才會突然長出來

休息一下

白鷺鷥們
不飛
用走的
感受大地的愛
走到這裡
休息一下
為走更遠的路

白鷺鷥之悟

白鷺鷥們
在山上思考問題
我們為什麼不會飛？
遇見佛
就明心見性了
眾生平等
飛與不飛
只是工具運用不同

假如是真的

如果是真的白鷺鷥
該有多好
管他是統是獨
又聞說
惡魔島快沈了
沈就沈了
反正我們會飛
與我們鳥族何干？

白鷺鷥的溫情

惡魔島上
住著一群白鷺鷥
公的孤獨
母的寂寞
因此經常相約爬山
可以相互取暖
獲得溫情
使日子變得
美美的

為何封口

大家都把嘴巴封起來
為什麼？
因為惡魔島上
空氣中
有東廠
小心東廠就在你身旁
所以島上眾生
全都自動封口

五老自畫像

因緣
是甚深微妙法
來自前世
或來世
寂寞的雲
起了一陣風
就飄到了這裡
定格千年

貴人俊歌

俊歌
本名吳元俊
他算是我的貴人
我的價值
本來不貴
遇見他後
我的生活豐富了
價值也貴了

俊歌的春秋大業

俊歌在台大
講經說法多年
退休後致力於
中國統一大業
貢獻很多
但他總說
船過水無痕
走過不留下痕跡

嘉明湖

老天爺的
一隻大眼睛
注視著
這神州邊的荒島
許多年前和一群人
三叉向陽嘉明湖之行
影中人是誰
已忘光光

向前行

遠離迷惑的都市
投向山林
激情溶解
在多氧的小徑
向前行
不論小徑或大道
千山都要向前行

山林中有寶

山林中
典藏著許多寶貝
風聲悅耳
水聲如禪語
隨手也可以
抓一把鳥聲
但我們下山時
沒帶走一片雲

無情開示

走在山間小道
你傾聽
無情說法
不平的石階對你開示
走路小心
勿看手機
一心不可二用
你聽到了嗎？

在此遇見佛

今天大家有緣
在此遇見佛
就在佛前照相留念
佛拈花微笑
所有的白鷺鷥
都笑了
未來再見佛時
佛會記得
今日一面之緣

一幅畫

草兒堅定成長
樹葉在風中
開起舞展
強壯的樹木
在我們背後
當靠山
陽光親切和煦
共構一幅畫

行軍步伐

以輕快的行軍步伐
偶爾聽到
蟲聲答數
或有小鳥
唱軍歌
我們是有紀律的隊伍
步伐雖錯落
都按時到終點站
從未發生逃兵事件

山爬人

人很奇怪
好好的在家
給電視看
不是很好嗎
非要出來爬山
這下成了山爬人
被山整得只好
小坐休息

無字天書

看到了嗎？
當然你是看不到
這裡有很多書
每個人都是一本大書
土地、樹木
都是一本本書
無字天書
我看到了

信義兄長

信義兄長
最鮮明的形像
就是廣結善緣
廣結各界好友
散播善良的種子
他講信修義
是兄弟們的典範

LOVE

走到這裡
才發現ＬＯＶＥ
我們被吸引
大家溶入愛中
有了愛
勝過一切
但為了向前走
只好放下愛

微笑向前看

大家向前看
不要閉眼
微笑
捕捉一個最真實的你
典藏在雲端
無論歷史走到何時
都會記著影中
美美的你

今天同路人

這一大家子
有文有武
有軍有政
或有左有右
人各有志
至少今天我們是
同路人
走同一條路

等車

就這樣等著
張嘴微笑
才能殺
天長地久的等待
等待
有如生活中的
必要的浪費

是什麼

心中有佛
看出去
人人都是佛
我心中有詩
看他們每個人
都是一首詩
你看他們
是什麼？

同路人

在渾沌的天地
人海茫茫
這一回
我們成了同路人
不是偶然
是誰策動這一切
也確定
還有下一回

走到這裡

人間道漫漫
走到這裡
感受到你的暖意
偷偷看著你
你悠雅如雲
我們這美麗的隊伍
走到那裡
美麗就在那裡

怎樣成為作家（一）

我們兩個
都是寫了一輩子的
老作家
信義兄長雖七十歲
出版第一本書
但他從年輕就有
寫日記習慣
就是寫作訓練

怎樣成為作家（二）

有人問我
怎樣成為作家
我說
作家就是坐在家裡頭
此非笑話
能坐在家裡
必能靜心
靜心是成為作家的
第一要件

怎樣成為作家（三）

有一種人
在家坐不住
天天都想往外飛
應酬不斷
玩樂無窮
心永遠靜不下來
這樣子
永遠難成作家

怎樣成為作家（四）

天天坐在家
給電視看會成為作家嗎？
天天都在外面流浪
不能成為作家嗎？
三毛如何成為作家
還是靜心二字
不論在家或不在家
要能隨時靜心

遇到絕色

惡魔島上
妖魔多
凡事要小心
某日我獨行
遇一絕色
請她照一張相
過程中
魂險被她收去

妻的高峰

那一年
我與妻參加了
台大登山隊
登上了玉山主峰
那是妻這輩子
所創造
最高的高峰
算是她人生的
最高峰

無題之歌（一）

在神州邊陲
惡魔島
海灘藍天森林漫步
沙灘受傷
魔鬼狂笑
我亦狂笑並大喊一聲
滾
藍天森林俱消失

中埔山黎和生態公園（2023.06.04攝）

無題之歌（二）

藍天森林突然消失
你做夢嗎
或進入平行宇宙
我想
我只是在追尋
原鄉的夢境
或人老了
想要再給媽媽抱抱

無題之歌（三）

某日夜裡
我心情不好
在黑夜的天空放一把火
來了一陣流星雨
那是我的不小心
我向天空祈禱
不要再造成
恐龍滅亡

無題之歌（四）

天空放一把火
無論如何
世界看不到光明
你注意看
烏克蘭的夜空
每晚都燒得
透亮
有帶來世界和平嗎？

無題之歌（五）

烏克蘭的災難
是美國人
叫烏克蘭人
到俄國人家門口
放火舞刀
終於災難臨頭
現在美國又教呆丸郎
到關公面前舞大刀

無題之歌（六）

這世界太亂
惡魔島上
魅魑魍魎太多
人要遠離妖魔
跟著台大登山隊走
人多勢壯
妖魔不敢來侵犯
可保安全

一路笑到底

今天中埔山遠足
一路笑到底
笑聲撞擊
沿途的樹木
我隊、別隊
整座山都有是非
下山後
一起喝咖啡

向山學習

最近二老
傳出一些老毛病
心情難免低落
到山裡走一回
花草堅持用力綻放
山頭頂天立地
二老頓覺
要向山學習

依然挺立

我就站在這裡
雖有點年紀
依然挺起腰來
就像老校長蔣公
拿著拐杖
指點江山
我拿拐杖
今天當巡山員

同路的證據

大家走到
黎和生態公園
留下證據
下輩子再見時
出示本證
依然可為同路人
相約再走神州
更大的山

第七章　台大登山會六十週年慶

2023.11.18
臺大登山社
六十週年慶
臺大活大禮堂/水源會館

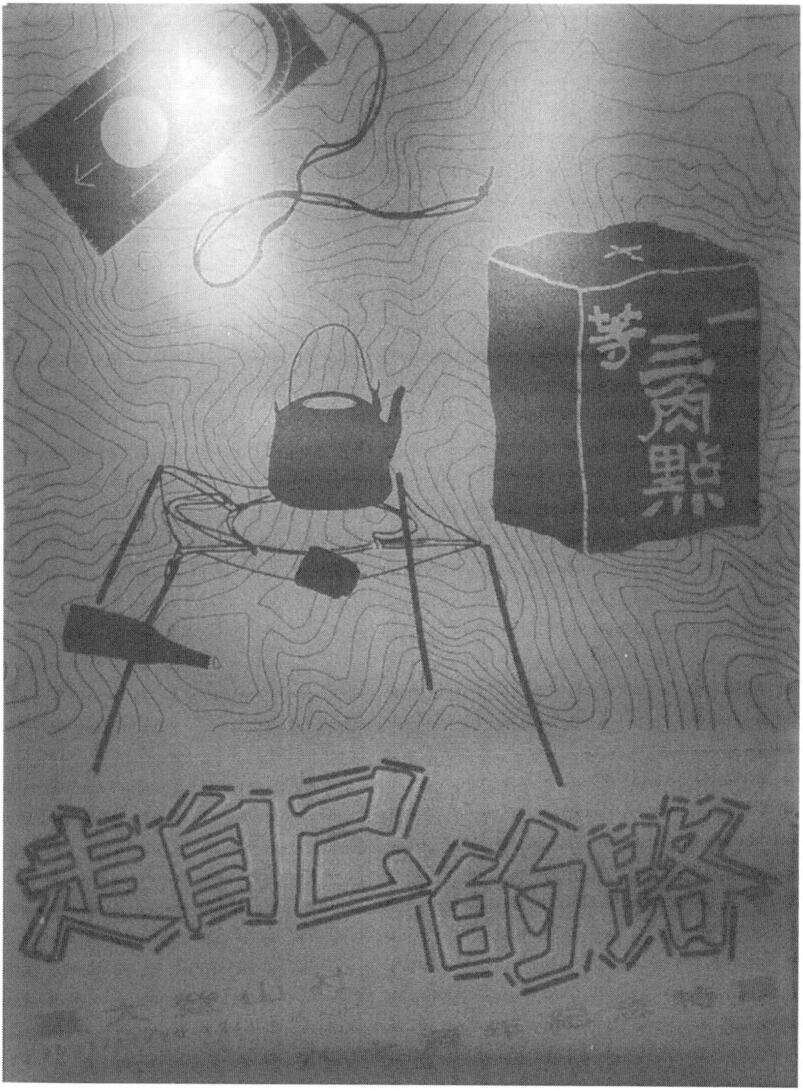
一等三角點
走自己的路

走自己的路
臺大登山社六十週年紀念特展

第一個十年
48年4月 為辦理能高越嶺甲種入山證，44化工雷敏宏提議成立
臺大登山會，創始會長為44化工林益宜。成立之初只有十多人
參加。
53年9月 於舊化學館舉行第一次社員大會，臺大登山社就此成
立。創社社長為王兆復。
55年3月 出版第一期社刊《登山》
55年6月社員達300多人，生活在大自然裡正式被訂為社歌。
56年1月 於舉辦全校性，登「臺大山」活動，一百多人徒步沿
男七、拇指山、中研院，最後由南港搭火車回臺北，開徒步健
行風氣之先。
58年1月 王兆復組玉山登山隊，是第一次舉辦大山活動。
58年9月 聖稜線縱走成功。
58年10月 社員近700人。合唱團成立。
60年 蘇鴻傑從航測圖上發現松蘿湖，與陳明哲探勘兩次，無功
而返，提倡「圖書館大山」。
60年12月
山難小組成立。
夥伴谷招募籌劃的「榛樹林餐飲室」，於新生南路臺大側門開
幕，引起媒體關注報導。

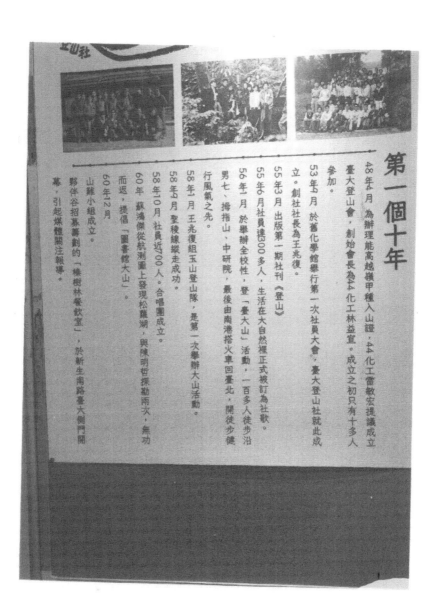

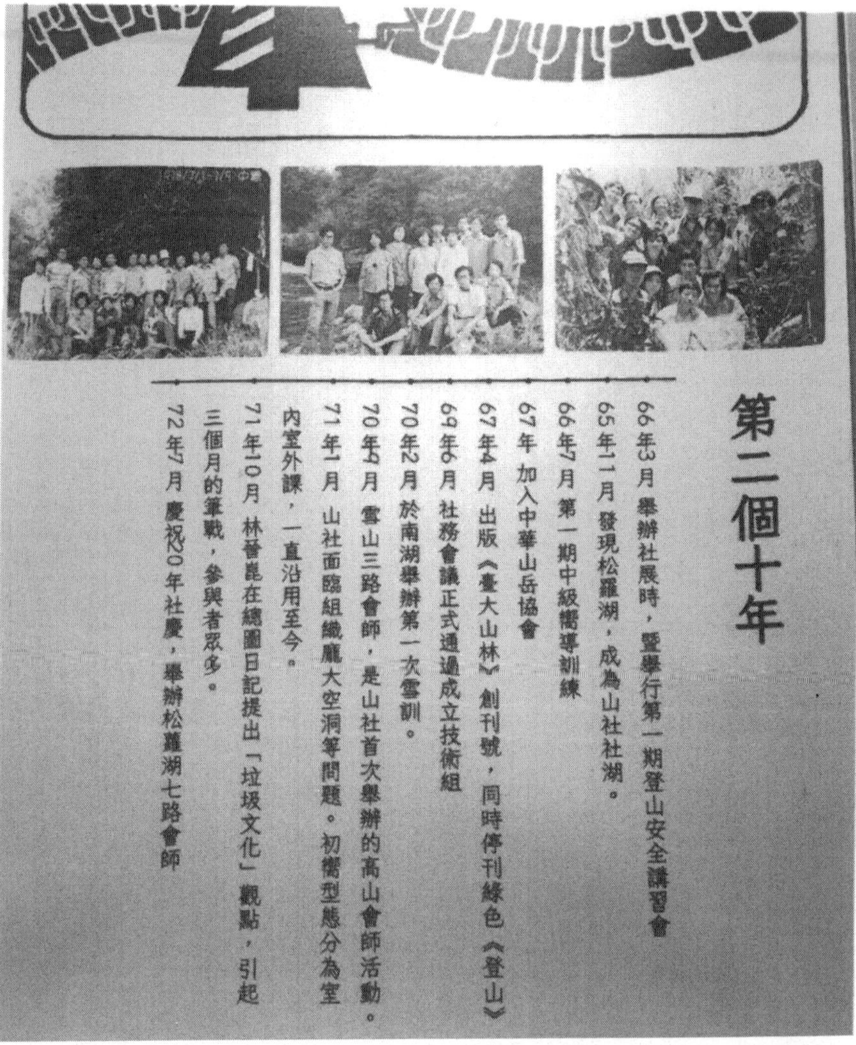

第二個十年

66年3月 舉辦社展時，暨舉行第一期登山安全講習會

65年11月 發現松羅湖，成為山社社湖。

66年7月 第一期中級嚮導訓練

67年 加入中華山岳協會

67年4月 出版《臺大山林》創刊號，同時停刊綠色《登山》

69年6月 社務會議正式通過成立技術組

70年2月 於南湖舉辦第一次雪訓。

70年4月 雪山三路會師，是山社首次舉辦的高山會師活動。

71年1月 山社面臨組織龐大空洞等問題。初嚮型態分為室內室外課，一直沿用至今。

71年10月 林晉昆在總圖日記提出「垃圾文化」觀點，引起三個月的筆戰，參與者眾多。

72年7月 慶祝20年社慶，舉辦松蘿湖七路會師

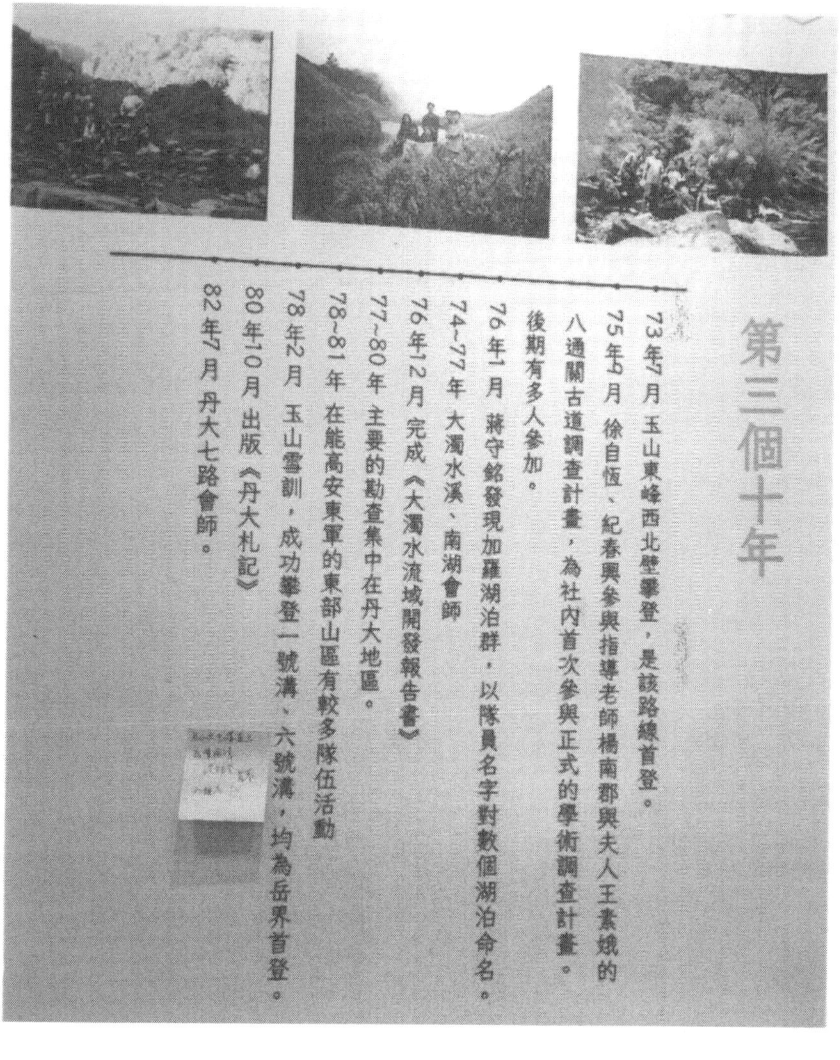
第三個十年
73年7月 玉山東峰西北壁攀登，是該路線首登。
75年9月 徐自恆、紀春興參與指導老師楊南郡與夫人王素娥的八通關古道調查計畫，為社內首次參與正式的學術調查計畫。後期有多人參加。
76年1月 蔣守銘發現加羅湖泊群，以隊員名字對數個湖泊命名。
74~77年 大濁水溪、南湖會師
76年12月 完成《大濁水流域開發報告書》
77~80年 主要的勘查集中在丹大地區。
78~81年 在能高安東軍的東部山區有較多隊伍活動
78年2月 玉山雪訓，成功攀登一號溝、六號溝，均為岳界首登。
80年10月 出版《丹大札記》
82年7月 丹大七路會師。

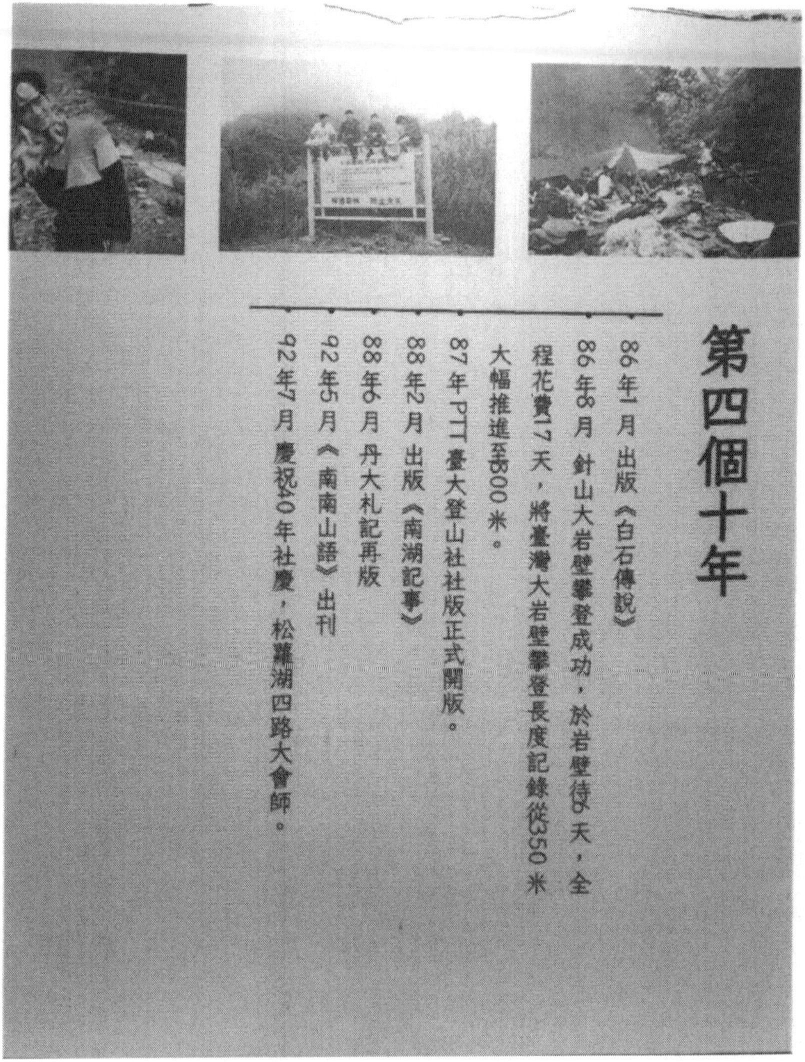
第四個十年

86年1月 出版《白石傳說》

86年8月 針山大岩壁攀登成功，於岩壁待6天，全程花費17天，將臺灣大岩壁攀登長度記錄從350米大幅推進至800米。

87年PTT臺大登山社社版正式開版。

88年2月 出版《南湖記事》

88年6月 丹大札記再版

92年5月《南南山語》出刊

92年7月 慶祝40年社慶，松蘿湖四路大會師。

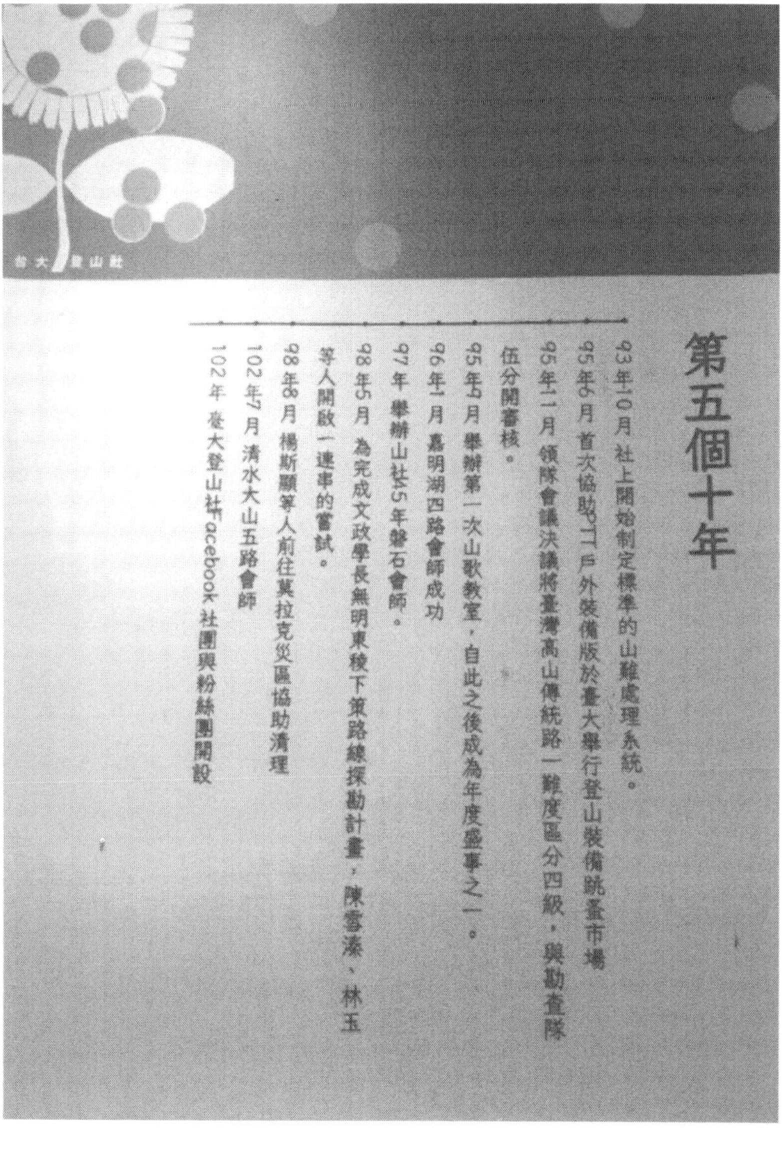

第五個十年

93年10月 社上開始制定標準的山難處理系統。

95年6月 首次協助PTT戶外裝備版於臺大舉行登山裝備跳蚤市場

95年11月 領隊會議決議將臺灣高山傳統路一難度區分四級，與勘查隊伍分開審核。

95年9月 舉辦第一次山歌教室，自此之後成為年度盛事之一。

96年1月 嘉明湖四路會師成功

97年 舉辦山社45年磐石會師。

98年5月 為完成文政學長無明東稜下策路線探勘計畫，陳雲漆、林玉等人開啟一連串的嘗試。

98年8月 楊斯顥等人前往莫拉克災區協助清理

102年7月 清水大山五路會師

102年 臺大登山社Facebook社團與粉絲團開設

第六個十年

104年12月 社團組織章程修訂，更新自民國七十六年以來的組織章程，期許與「山難部防治系則」一般與時俱進。

110年5月 臺灣COVID-19疫情爆發，三級警戒發布，山社隊伍暫緩出隊。

111年3月 《戶外風格誌》專訪本社。訪題：「我們不是來玩的！」臺大登山社歷屆社長、社員共論山社未來。刊載於《戶外風格誌》網站。

111年10月 啟動太平山專刊編輯計畫。

112年7月 山社60年加羅湖會師。

（參考資料源自於各期社刊山社大事紀:B04 地理系 楊東霖、B99 機械 劉耿豪、B77 政治 孫家琦、阿佑學長等人）

山社日常　山上篇
前言
初級嚮導課程
初級岩訓
初級岩訓Plus
中級岩訓
中級嚮導課程
雪地訓練

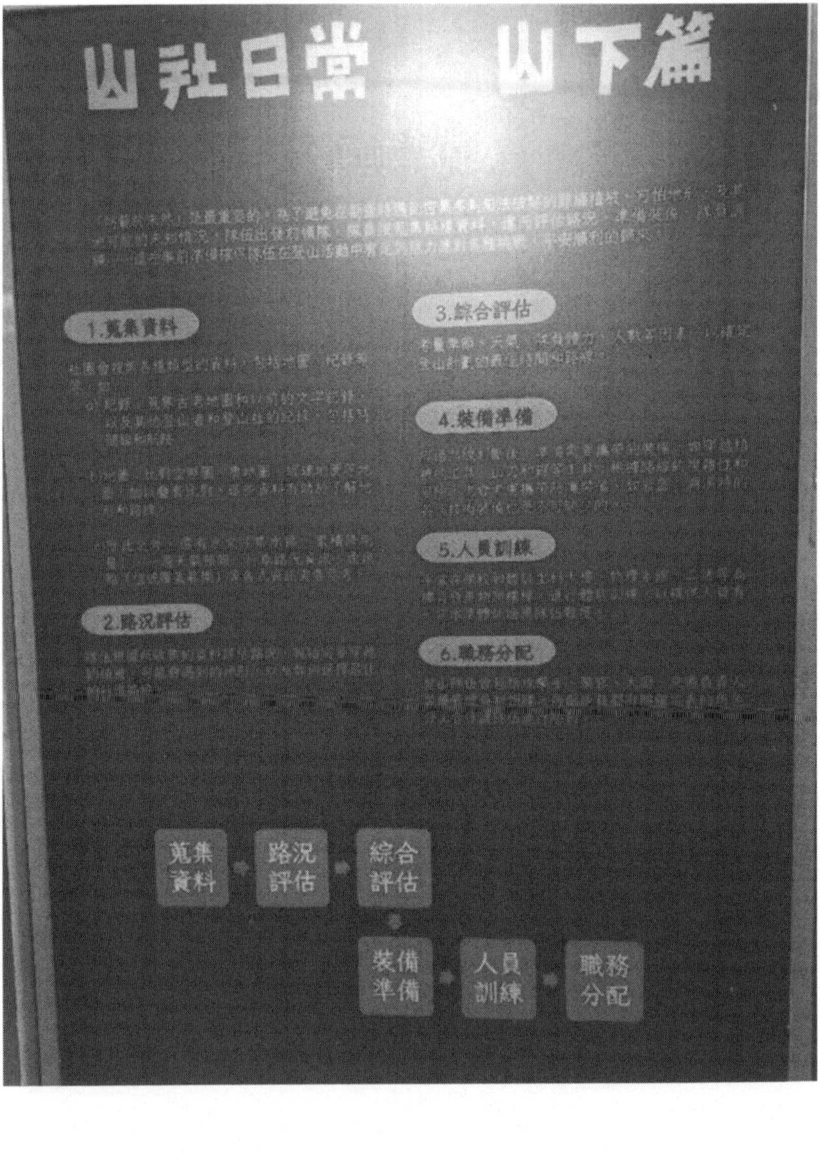
山社日常　山下篇
1.蒐集資料
2.路況評估
3.綜合評估
4.裝備準備
5.人員訓練
6.職務分配
蒐集資料
路況評估
綜合評估
裝備準備
人員訓練
職務分配

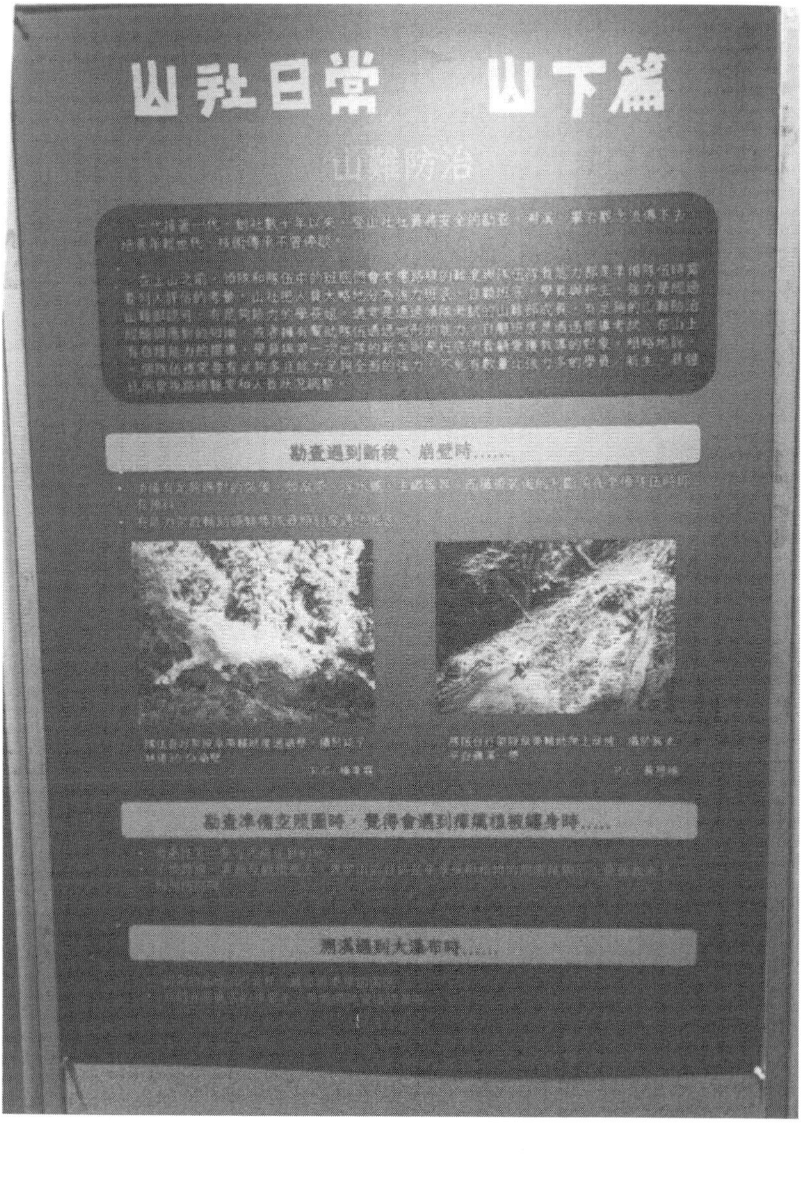
山社日常 山下篇
山難防治
勘查遇到新稜、崩壁時……
溯溪遇到大瀑布時……

山社日常 山上篇
攀岩是什麼?
攀岩活動項目
抱石運動
運動攀登
傳統攀登
攀岩，why?
傳攀 vs 運攀

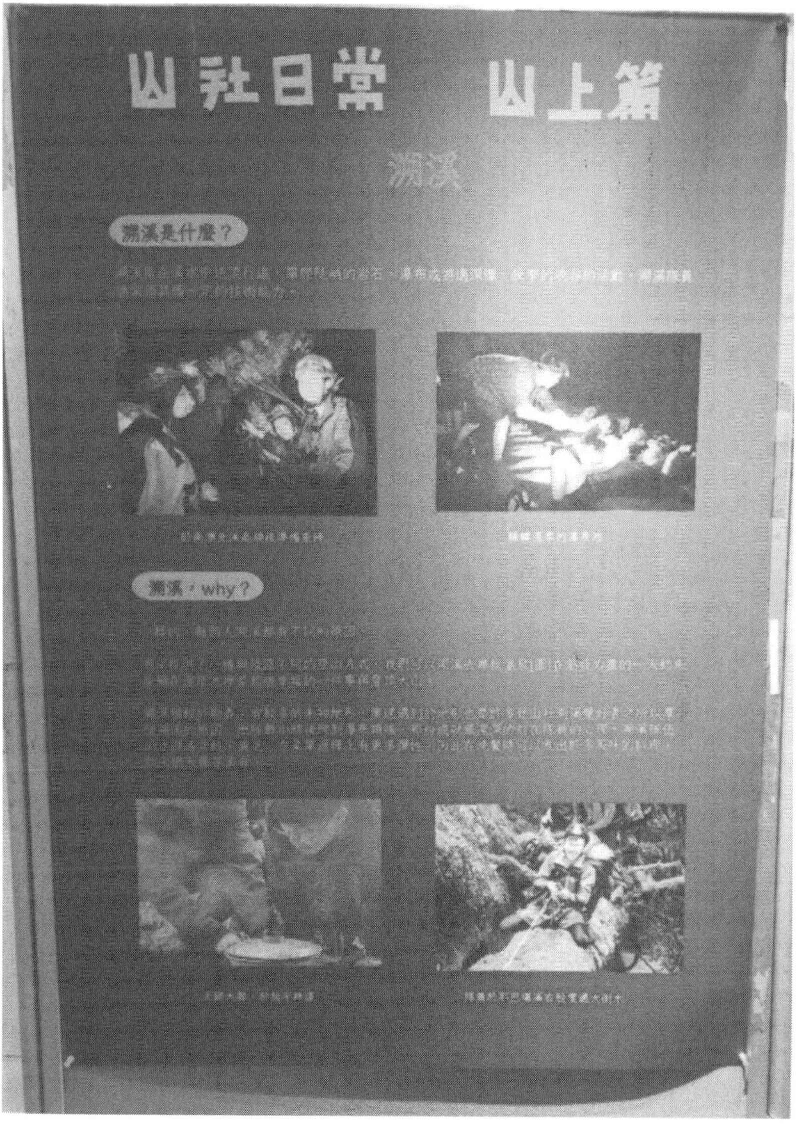
山社日常 山上篇
溯溪
溯溪是什麼？
溯溪，why？

山社日常　山上篇
勘查是什麼？
勘查，why？

山社大事記

山社大事記

區域探險

南南山路

　　南南，指的是中央山脈南南段區域。《南南山語》出版於92年，記錄這片山域裡人們和自然互動的點滴，也是臺大山社社員們的「喃喃自語」。

　　自民國68年第一支柯氏孤隊降伍，至87年大鬼湖會師，20年的光陰裏，臺大型山社至少有40支以上的隊伍進出此山區。足跡踏片雙鬼湖周遭的山脈水系，探訪古道、孤阻塔遺址，流述中的故事，當記綠在這本書裏，讓人一窺當年的中央山脈荒原原探探，見證登山人與自然的關係。

大魯閣流域

　　山社第五組十年間，終季大湖大學度月奇託在這片山高水深的太魯閣群山裏記得著山口的老味、門新版的三角錐山與喀山，至大澤之後的清水大山，還山路中的勞苦大登及深人（日本人，光復後的開路老兵留下的痕路。

大華山脈六龍山區域

　　山社第五組十年，大縣起車在這免滿呢籠的林子握，短對當時的照州、文水城如學的記錄，萬兩重環，航退與理影帶有的書過，度往大澤山雪城申請牛地，前關群臺邪的懷，山社56的會緊史文的盖域風景會點，這關的文類紀線王名鐙這申，先遠理的山木故事，保護是善動著

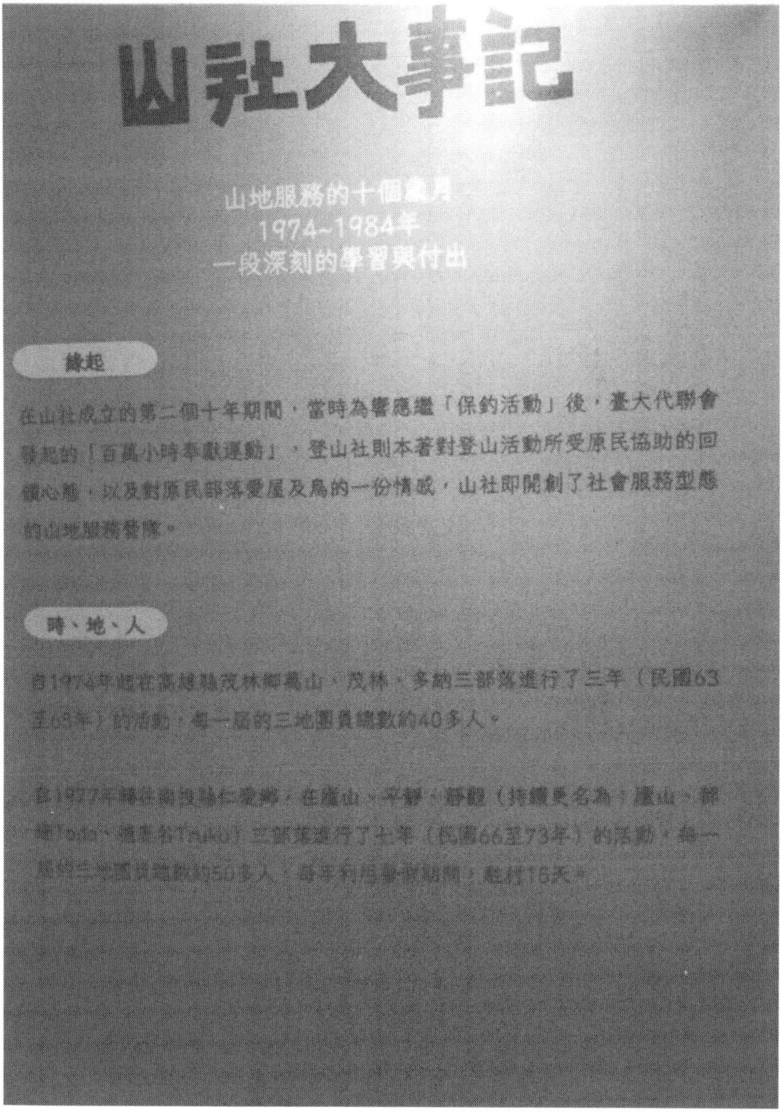
山社大事記
山地服務的十個歲月
1974~1984年
一段深刻的學習與付出
緣起
在山社成立的第二個十年期間，當時為響應繼「保釣活動」後，臺大代聯會發起的「百萬小時奉獻運動」，登山社則本著對登山活動所受原民協助的回饋心態，以及對原民部落愛屋及鳥的一份情感，山社即開創了社會服務型態的山地服務營隊。
時、地、人
自1974年起在高雄縣茂林鄉萬山、茂林、多納三部落進行了三年（民國63至65年）的活動，每一屆的三地團員總數約40多人。
自1977年轉往南投縣仁愛鄉，在廬山、平靜、靜觀（持續更名為：廬山、靜觀Toda、翠峰谷Truku）三部落進行了七年（民國66至73年）的活動，每一屆的三地團員總數約50多人，每年利用暑假期間，駐村15天。

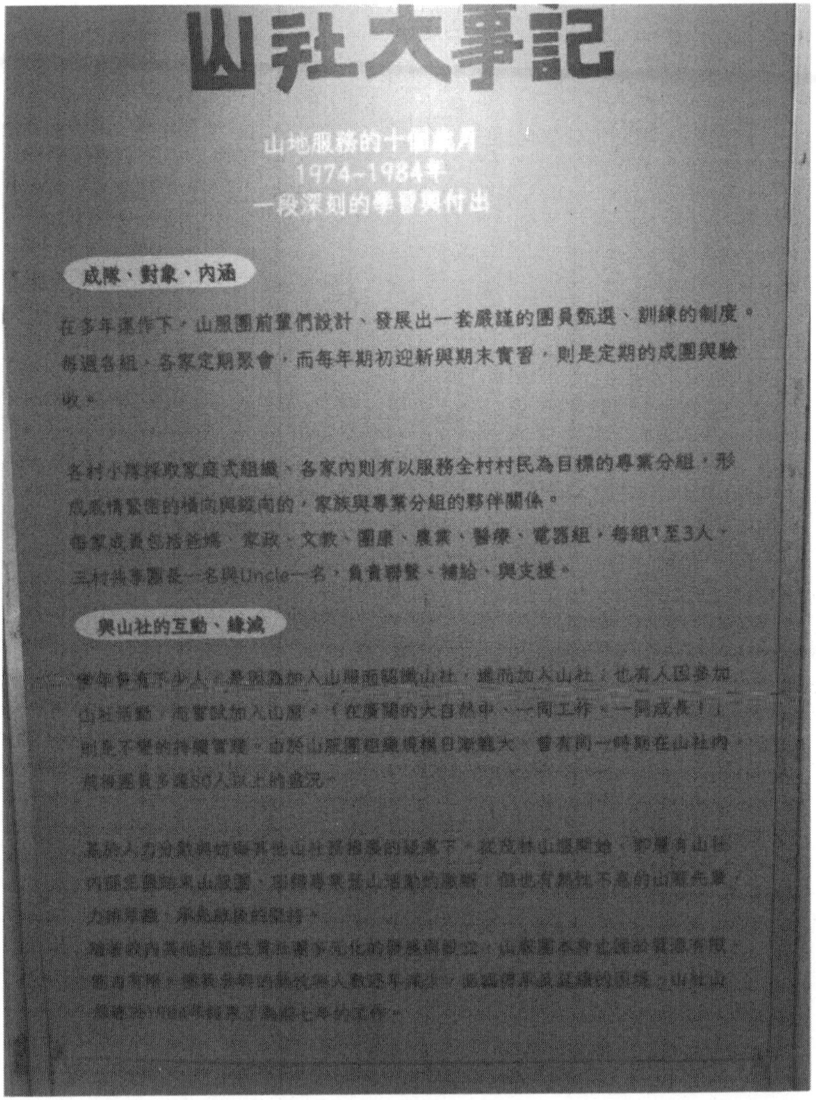

山社大事記

山地服務的十個歲月
1974~1984年
一段深刻的學習與付出

成隊、對象、內涵

在多年運作下，山服團前輩們設計、發展出一套嚴謹的團員甄選、訓練的制度。每週各組，各家定期聚會，而每年期初迎新與期末實習，則是定期的成團與驗收。

各村小隊採取家庭式組織、各家內則有以服務全村村民為目標的專案分組，形成感情緊密的縱向與橫向的，家族與專案分組的夥伴關係。

每家成員包括爸媽、家政、文教、團康、農業、醫療、電器組，每組1至3人。三村共事團長一名與Uncle一名，負責聯繫、補給、與支援。

與山社的互動、緣滅

每年皆有不少人，是因為加入山服而認識山社，進而加入山社；也有人因參加山社活動，而嘗試加入山服。「在廣闊的大自然中，一同工作、一同成長！」則是不變的持續管理。由於山服團組織規模日漸龐大，曾有同一時期在山社內，兩隊團員多達50人以上的盛況。

基於人力分散與切斷其他山社群聚愛的緣案下，組成林山服隊始，如屬有山社內延乏援助的山服源，雖將專業與山服的源頭，但也有熱忱不忘的山服先輩，力挽狂瀾，承先啟後的堅持。

隨著的內涵也益趨社會化多樣化的時族間起之，山服面本身社團的資源有限，能力有限。隨著各種內部與人數逐年減少，而難得承繼話緣的亦境，山社山服遂於1984年結束了為期十年的工作。

山社大事記

區域探勘

南湖記事

　　民國74年春天，阿佑學長輕揭大濁水溪的神祕面紗，因此74、75年皆將中嶽暑辦於南湖地區，但因天候不□，76年才完成此區的探勘，這是全臺雨量最豐沛的地區，有臺灣亞馬遜之稱，泰雅族南澳群古部落和獵徑交織，深具學術性勘查之意義，並將探勘結果出版為南湖記事。

丹大札記

　　受到南湖成功的鼓舞，山社選擇　　　　　　　丹大溪流域作為挑戰，區域內有臺灣最高最長的飛瀑、多座處女峰，以及布農族丹社群和卡社群的獵域，和平行於八通關古道的關門山古道，後將這次的探勘出版為丹大札記，僅80年出版社，並於85年與110年重新出版。

白石傳說

　　白石，泰德克語Rmdax tasing，代表發亮的石頭，白石山，標高3110公尺，佔據於泰雅東賽的心臟位置，《白石傳說》出版於86年，是以能山社青壯年成員為探索基地——白石山區，撰著勘查報輯。

　　——步一步走過，用文字寫下敘述中的族群，重展成族前□□□，翻開你的□勘記事，寫下屬於自己的傳說。

南湖記事
台大登山社
南湖會師
企劃書

山社日常

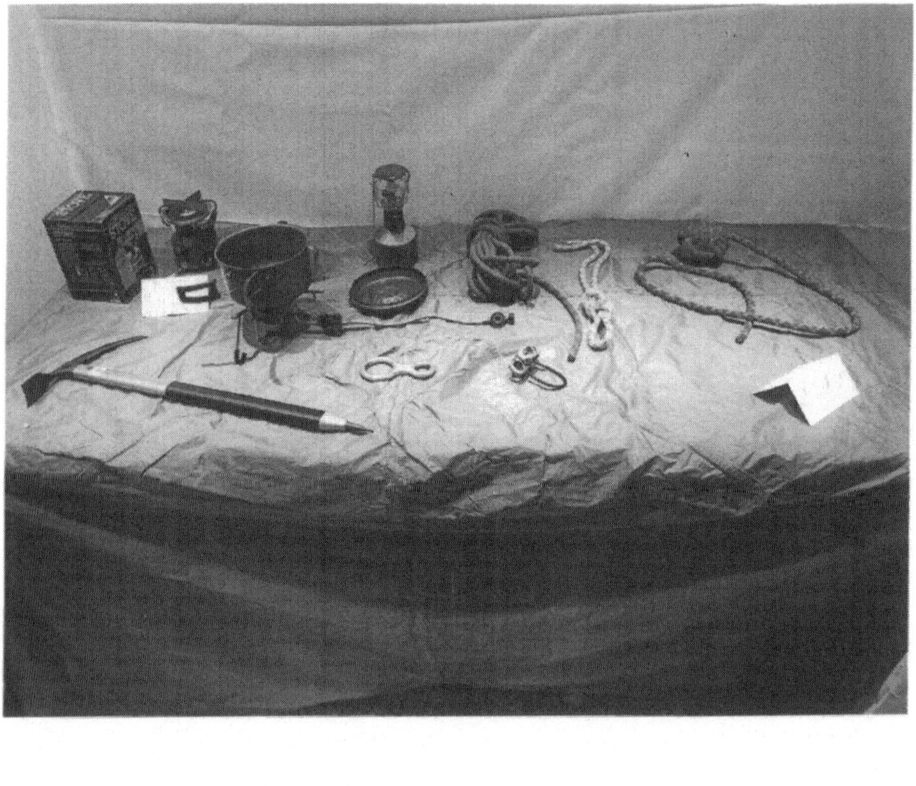

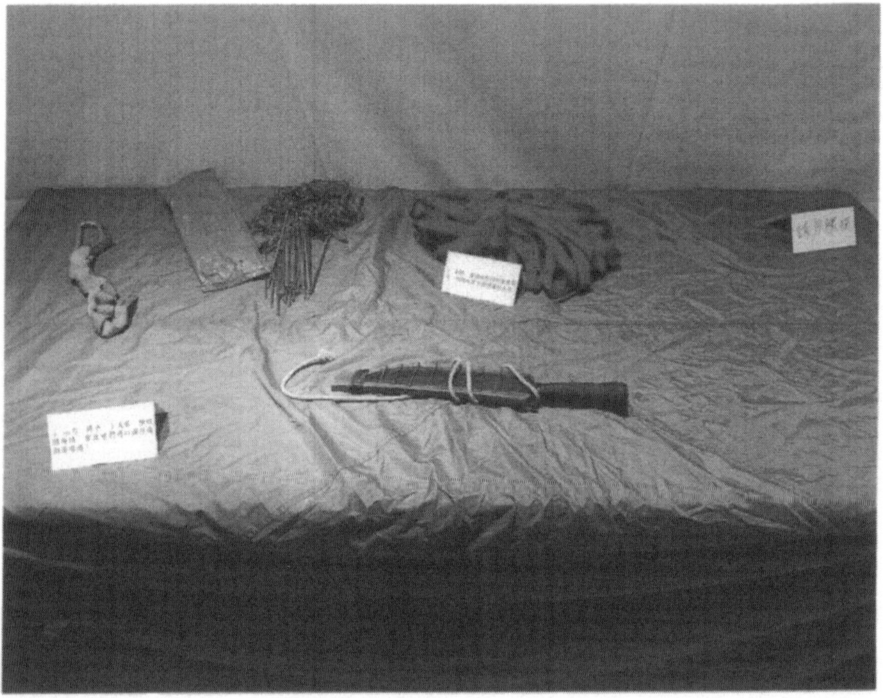

山社未来展望
有推薦什麼好路線值得再去嗎？
想對誰說的話？

山社未来展望
是否有在山林間有難忘的經驗？
為何會來欣賞展覽？
有登山的經驗嗎？會想嘗試嗎？
看完展後，覺得登山社最有趣的地方是甚麼？
登山社跟你想像中的爬山有什麼不同嗎？

山社未來展望
勘查傳統與太平山探勘
山社除了維持行之有年的勘查傳統、積極培養嚮導，使學員與嚮導開出一隊又一隊前往各個地區的勘查隊之外，近十年自2017年開始，更在溫凱傑、李逸涵等人的領導之下帶起太平山地區的勘查之風，調查該區域的日人遺址，勘查紀錄更計畫集結出版成書。
巡護計畫講座：
112學年度之巡護計畫共有六條路線，分別為：時雨白嶺追香林、晴嶺見樺、白嶺白糸、須古石線、日向大留。

山社未來展望
技術方面，山社技術組於民國69年成立，組員發揮自身攀爬與繩索架設之所長，支援出隊成員以更安全的的方式度過危險地形，得以前往更深遠的山區、溪谷中探索。
在近幾年技術組長與幾位資深學長(阿佑、永暉、威龍…)的努力下，攀岩與溯溪領域皆有復興之趨勢。

山社未来展望
山社的第六個十年，有許多為了路線、為了傳承、為了彼此而留下的故事，
也有留不住的人與來不及寫完的故事。不論結局，都會是圍在一起取暖時湧上
心頭的共同回憶，抑或是步行於山林時在心底蕩漾的情感。在告別過去的同時
也擁抱過去，懷揣著忘不掉的這些故事，我們走在路上，邁向下個十年。
您在山社十年的故事是什麼呢？寫下來和大家分享吧！

山社未來展望
第六個十年
在第六個十年中，臺大山社隨著年月更迭延續著過往的風格，同時也不懼於面對新的挑戰。50 週年的清水大山與60週年的加羅湖會師都圓滿落幕；在社長與社員們的努力下，也做出新的嘗試，如承接林務局巡山計畫、特定山區探勘專刊的撰寫……，針對嚮導培育以及技術訓練等教學制度，也在各屆的努力下持續執行且改進，企圖將山社長久累積下來的經驗與能力等持續傳承。其成果也支撐著山社，使初級嚮導、中級岩訓、雪訓……等訓練課程得以持續舉辦，維持穩定的隊伍數量，讓社員可以將山下所學運用於山上，探尋各自的目標，走在自己的路上。
60週年加羅湖會師

山社未來展望

〔登誰的山？〕

回顧社史之際，山社不斷思考的課題係「登誰的山」。雖然70年代的山服團以回饋的出發點進入部落，也與部落居民共同創造了許多溫暖的回憶。然而，我們無法否認的是，「山地服務」的活動內容本身，隱含將「進步」的都市生活帶入「落後」之原住民部落的基礎概念；又或是早年的探勘與紀錄編寫，實帶著「大拓荒」之成就或所為，原住民更在特定的時代氛圍下，沒辦法充分表達其支持或反對各地山友進入舊社及傳統領域的複雜論述。社團希望將這樣的過去透過氛展呈現出來，並在「山社未來與展望」表達：社員基於回顧細體山社的過去，所認為在未來十年應努力的方向。

臺大登山社創立了學術部。這個部門希望以批判的視野，去回顧、檢討包括山社在內等歷史上曾進入臺灣山林的人與物，對原住民社群建構出的潛在權力不對等。學術部更期待能在認識論上找到突破口，開創出登山客想像與接觸山林與原住民的不同可能性。因此，自2022年春季伊始，山社開始創辦一系列學者講座與讀書會，主題包含：《山社·舊社》、《臺灣山林與殖民現代性》、《戰後臺灣山林的產業與治理》等，希望創造一些傳述人與自然、人與人、文化與文化關懷聯關係的契機，斬對話的平臺。我們更希望在未來十年間，能與原住民社群建立持續的關係，來探究前述的可能性。

第八章　人生的峰頂在何處

爬爬爬㈠

一不小心
就爬到人生的黃昏
爬過無數的山
眼看著
前方還有許多山
山不高
確越來越難爬

爬爬爬(二)

山不高
只是一座普通郊山
確越來越難爬
師兄說有階梯的
都不走了
想想
這山也可惡
不懂得善待
老人家

爬爬爬(三)

我老人家
硬是不信邪
還是找機會
跟台大登山會走
兩腳不夠用
就用四足
或五腳
爬爬爬
也要和山玩下去

十八朵梅花

這裡有十八朵梅花
藏在三人心中
以前梅花壓在肩上
壓力山大
現在梅花無形化
人輕飄飄
經常在山裡
飄來飄去

北星寶宮

爬山有很多樂趣
只要親近山
人便成仙
這一天
眾仙來到北星寶宮
與宮中眾神
創造
山中傳奇

象山峰

爬爬爬
終於爬到象山峰
一路爬來
未見一隻象
我們在此留下證據
證明象山無象
只有仙

俊歌

俊歌這個人
來無影去無蹤
船過水無痕
只有相約爬山時
才會留下一點痕跡
下山一別
他不知又要
飄向何方

南無阿彌陀佛

眾仙在此
遇見佛
並與佛照一張相
留下好因緣
未來到西方
求見佛時
得方便通關

爬山如寫詩

現在爬山如寫詩
用心爬山
用腳在大地寫詩
漫步其間
人與山結合
成仙
真是快樂似神仙

詩仙李白

李白
為什麼叫詩仙
他一定經常爬山
才會成仙
台大登山會好友們
都是仙人
若能寫詩
就是現代詩仙了

此刻一國

此刻在這
小小的框裡
我們是一國的
瞬間的同路人
此刻一別
不知奔向
哪一國

須彌山

有一座山叫須彌山
很多人知道
但台大登山會從未
排過這行程
聞說
人人心中有座須彌山
不知以何因緣
才能爬這座神山

等待

我們在此等待
等待一座山
向我們走來
山不來
我們準備向前行
與山同在
成仙

和興炭坑

此處往昔曾發達
以炭
啓動一個時代
現在炭的時代落伍了
這裡成了廢墟
一個新時代
廢了舊時代
我們是見證者

震旦第一山

地球有史以來
最大的山頭
正是震旦
而峨嵋山
乃震旦第一山
普賢菩薩在此說法
佛光照金頂

成都山水澗

有時候
山不在山裡
水不在水裡
我走在成都巷子裡
偶然碰到山水澗
照一張相
留下證據
證明
山水不在山水裡

漢昭烈廟

劉、關、張和孔明
我感覺
又好像
你們離去才不久
之後的朝代
又像昨天的往事
你們似也仍健在
每天接見眾多訪客
包含在下

重慶北碚金刀峽

一個絕美的異世界
峽險、山雄
水秀、瀑多、潭碧
真是神仙的居所
藏刀洞、獅頭峽
彌勒佛
中峽天然浴場
等你來享用

此情此景

因緣流轉的瞬間
此刻在神州大地上
一處坐標
交會
共話我們此生
的願望是
民族復與
國家統一

成都榮桂堂

那年
我到成都找根
失傳太久了
根未找到
在小巷子裡
發現榮桂堂
已被時間遺忘
也在找根

人生的山路

我們游走在
一條不大
也不小的路上
風景各不相同
山路意外會交叉
最終
所有的路
通向同一個地方

山

說到山
其實人人都是一座山
你不是正在爬山
就是讓人
爬你的山
無論如何
你在山中
看不到山

袁世凱爬山

有一年
我到天津
看袁世凱小站練兵
就知不妙
他想什麼山
那座山太危險
光是想爬山
就被山壓死了

代代傳承的山道

我們每個人
都走在一條
代代傳承的山道
緊緊的
用手腳攀爬
不鬆手
把一個時代拉住

峰頂何在

人一輩子
都在爬山
爬過許多有名無名的山
有形無形的山
爬山的人都想攻頂
我也是
但峰頂何在
仍是一頭霧水

金刀峽

這段路
一人漫行
金刀峽
在我兩側
禪坐
一動一靜間
人和山
心靈交流

這一座山

第三屆華文詩學論壇
在重慶舉行
這是一座文學大山
各方名家都來了
我也想來試身手
爬這座山
不想攻頂
只想在文學大山裡玩玩

還是跟台大登山會走

跟台大登山會走
二十年了
有如老夫老妻
又像老友
老的好
放眼未來
還是跟著這群老友
千山不獨行

第九章　諦聽山水和生命的對話

近十年來，幾乎走遍了台灣的荒山野嶺，乃至名川大山，每一地都有動人的故事，有神秘的傳奇。只要你去親近，領悟，不僅可以感受「有情」的愛，也會聽懂「無情」說法。

絕頂觀飛鷹

有天籟之音起自
乾坤之中
感應天地間的幽魂
正蓬然間
已不見了蹤影

你又悠然滑來
祇為向我見證
長空有萬里

你原屬天空，且囿住了天空
沒有你，這裡的天
鐵定就空空
天空有你，你創造天空

近年常和朋友們走訪台北四周郊山，七星山、擎天崗、大屯山、紗帽山……登頂後，只要天氣不差，常見有老鷹在空中盤旋翱翔，那種感覺，真是「即壯又絕且孤」的景觀，人生觀瞬間有了不同「啟動」。

李棟山鎮西堡

患了阿茲海默症的
歷史

還有誰記得李棟李將軍
才不久前的那件
戰事
再凶狠的叢林也吞沒不了
地理
古道述說久遠的蒼茫
馬里科灣泰雅族人大戰
日本鬼子的慘烈戰史
站在這裡的許多參天古木
都是終極證人

李棟山、鎮西堡（均在新竹縣尖石鄉）。滿清於康熙二十二年（一六八三年），正式對台灣行使合法的統治權，漢人移民日多。當時山胞經常出草殺人，乾隆五十一年（一七八六年），連淡水同知潘凱的人頭，也遭生番「取走」了，清廷乃積極於台灣的開山「撫番」政策。

今新竹尖石鄉一帶，朝廷派一李棟將軍率兵鎮守，終於後來山胞不再殺人了。為紀念李棟將軍，乃命山名「李棟山」（標高一千九百一十三公尺）。

光緒二十一年（一八九五年）因馬關條約，台灣割讓日本，日軍慢慢「擺平」平地的抗日武力後，各地高山上的山胞依然有反日、抗日組織。光緒三十二年（一九〇六年，日軍六百餘人佔領李棟山，與此區泰雅族十七社約二千勇士，展開大戰，初則以地利，山胞佔優勢。但終不敵有先進裝備的正規軍，至宣統三年（一九一一年）日軍終於攻破山胞各部落，並展開大屠殺，山胞死傷慘重，是謂「李棟山抗日事件」。

現有「李棟山莊」，莊主叫朱萬鶴，正位於登山口。附近有「鎮西堡」，因不是「名山」，知道的人不多，而知道這段原住民抗日血淚史的人，更少了！

魚路古道

絹絲流泉浣洗過的耳聰
碧綠藍天撫摸過的目明
妳款款徐來
在半崖上，掀起我的裙擺

原來是先民自海邊挑魚上來

我在石磊磊潤石中展讀
先民打拚的勇氣和智慧
邁越峭壁危石
已是百年荒煙漫草
如今，古道又鮮活

我們是被城市打壓和清洗
快要忘本的
魚群
重新回來找尋祖先繁殖興盛的足跡
代代繁衍，不要成為稀有魚種
被城市的污穢瘴癘糾纏
魚肚翻白，向那裡逃竄

經進化論篩選，那沒斷氣的
一尾尾循著祖先的路攻上擎天崗
只為得到那一點點生命之泉

常愛在郊山走走的人，一定知道或走過這條魚路古道，有點小難度，在多雨的季節，石板上很滑，有點危險，不太適合年紀太大的人。「魚路古道」，顧名思義，我們的先祖們，他們在北海岸一帶打了魚，一擔擔要挑上擎天崗，挑到台北區賣，多麼的辛苦。在古早時代交通不便的地方，所有的貨物往來都用人挑，所以台北地區我們還知道「挑硫古道」、「挑鹽古道」……也許還有更多。現在無人挑魚了，但古道又鮮活，遊人魚魚雅雅，魚貫而來，諦聽先人說些什麼？

驚天崗草原

大太陽無情的蹂躪這整片鮮綠
遊人個個無語　心淨自然涼
牛也向來自有一套

混的哲學

老牛只顧吃嫩草
小孩搞飛機
大人們仍關心那朵雲啊
要流浪到何方

天邊一群趕路的雲彩
匆匆忙忙的飄來
也不佇足
要追求些什麼
只有碉堡、老牛與遊人
共享這一畦青草

玉山、大霸尖山傳奇頌詩

玉山盟五帖

一、故事

亞歷山大船長所見　Morrison　Mountain
原是西王母居所
渾然多玉也
晨風中讀你，峰頂奇幻的　Pattonka
你有四大王護駕
我歷半生春秋跋涉
始見尊者

二、攻頂途中

守者磐桓不動，攻者威武不屈

你遠交近攻都不宜
暫砦層層，嚴崖下藏著要命的玄機
風呼呼殺來，亂石砳砳
雙方礧石相擊，準備決戰
我熟稔六韜三略，步步為營
沒有拿不下的山頭
只擔心你嫁禍給登山的旅人

三、登主峰

幽暗晨嵐
守著準備自群峰跳躍而出的旭日
隱藏名山的故事
如天、如光，都要真相大白了
萬民等著膜拜
原來你天生就君臨天下

四、坐觀日出

晨四點，大家都急著要卸下滿天星斗
緩慢的，等妳蓮步輕移
我屏住氣，靜寂
左腳踩南投
右腳踩高雄
一屁股坐在嘉義
曉起二郎腿，看妳
猶抱琵琶半遮面

五、日出

驟然，一顆心躍出
東方明珠
婉約溫柔的身段
在朦朧的晨霧中
妳說「心清如玉　義重如山」

妳的光照，浣淨我們張張未洗的臉龐
滌洗長年積陳未除的心垢
大家都成乾乾淨淨的人

鄒族稱玉山「**Pattonkan**」，史籍上最早有「玉山」之名（僅在台灣島），是清康熙三十六年（一六九七），浙人郁永河到台灣（北投）採硫磺，並到各地考察，他所著「蕃境補遺」一書說：「玉山萬山之中，其山獨高」。

在「雲林採訪」書云：「八通關山又名玉山」，另「彰化志」則稱「雪山」，日據時期稱「新高山」。

西方人對玉山的稱呼，起於駐台南英國領直 **Robert Swinhoe**，乘美國 **Alexander** 號商船，航經台灣遙見玉山獨峻，因船長名叫 **W. Morrison**，外人乃以「**Morison Mountain**」稱玉山。可見歷史上的玉山，諸多不確定性，還好現在都各有定位了。

我國古代「山海經・西山經」記載，玉山為西王母居所兼管轄地，其上多玉也。這當然是另一座玉山。

台灣玉山有「四大天王」守護，分別是東峰（三千八百六十九公尺）、北峰（三千（八百三十八公尺）、南峰（三千七百一十一公尺）、西峰（三千五百二十八公尺）。而主峰玉山有三千九百五十二公尺。

聖山傳奇：大霸尖山紀行

雲霧縹緲間，以為是到了南天門
兩側深淵中，風暴飆起，有蛟龍翻騰
風雪夾殺，凌空吃人
我們活像飛往銀河系飄颻中的太空船
無畏前行，向未知探索
朦朧中，隱約見大霸聳壑昂霄
端坐成一尊巨大、永恆、莊嚴的黑臉關公

縱使你是一隻雪山飛狐也沒用
我們是一隻隻寒帶蝙蝠
把身體高懸，或和岩層緊緊擁抱一起
或把肉身潛藏隱入岩石內
以避開飆風、寒氣及不確定落石的追殺

在萬尺高空中
夢想自己是顛峰戰士
創造自己不朽的紀錄

登大霸尖山通常是一次完成四座百岳的「套餐」，時間約需三、四天。分別是大霸尖山（三四九二公尺）、小霸尖山（三四四五公尺）、伊澤山（三二九七公尺）和加利山（三一一二公尺）。

大霸尖山是泰雅族和賽夏族的聖山，傳說太古洪荒時代的某一天，天空降下一堆巨大的「天來石」，落在大霸尖山頂上，巨石中藏有一男一女。一隻名叫「Sisilek」的烏鴉知道後，每日來巨石邊祈禱，希望人類出生，終於有一天，巨石轟然崩裂，從巨石中走出一男一女，後來兩人結成夫妻，繁衍子孫，他們就是人類的始祖。

登大霸雖不如玉山高，危險性卻高出很多。在接近大霸時，其基底下的「路」，只是從斷崖上鑿出一約三十公分寬的走道，前進時極緩慢，左邊身體貼著大霸基壁，右側是不見底的深淵，雲霧如蛟龍般翻湧。

通過大霸再上小霸，也是危險。小霸頂是由許多巨岩，層層疊疊似有秩序的堆積而成，很是神奇，霸基到霸頂也約有五十公尺垂直峭壁。這是真的在「爬」山了，想登頂的人都要「四點著壁」，攀住岩縫，抓緊岩塊的凸出處，真是危機重重。

登頂後那種感覺，非筆墨所可形容，這是登山的魅力，難怪有人登完台灣百岳，還要遠征國外世界級的高山。

待月向陽山

千里迢迢，負重沈沈，沿著險峻的向陽山道，萬里攀爬，我受邀待月
瓊樓玉宇，與仙子
對酌品酒，最是想念
妳，溫一壺拿手的「東方美人」

夜，是讓我等待的吧！
妳輕步蓮移，半遮面、戶半開、色朣朧
莫非是那個不懂情調「阿母斯撞」
一頭撞進來後

妳就更加矜持了？
今夜，月白風清，如此良宵
妳沈魚落雁的風情正是我們曾經有過的愛戀
溫柔狂熱的腰身
那一團火，是妳的香脣
我這麼說，那觀月的眾生大概不懂
喫的、賞的、看的，少不了是實證主義

纔一盞茶三巡酒之工夫，妳就有些微醉
妳蔽月羞花，如此完美
玲瓏的漾態，所有觀月的人那能不跟著醉
我醉了，憶起妳曾經的艷
我醉了，想起妳醉渦的笑
終究妳是我生生世世不能忘懷的寶

下半夜，向陽山的風獵獵

妳依然熠熠，又那樣輕盈美麗
向陽山的花，草和整座風林都向著妳飄颻
佇立的磐營與月宮望衡對宇、相對無言
我賴了，我不想下凡
我愛了，我不想重回人間
我怕，妳在廣寒宮中，寂寞

有一朵雲飄來，露珠沾上妳潔白的裙緣
妳氣色朦朧，似有一滴清淚正掛在腮邊
夜深了，累嗎？
莫非月事，或怪我老早不來
唉！這件事，緣吧！一命二運……
不知那盤古老先生開天闢地時弄了幾個月亮
妳，老情人的微笑，也解不了我濃濃的離愁
為何妳不思凡？為何我一定要下山？

當我重回那苦難的人世間
妳的豐盈和笑意依然高掛
我卻只能淒然望月，問一聲：
「何年何月再相逢？」

後記：民國九十一年五月三日到五日，這三天我竟不在人間，我竟到了仙境——向陽山、三叉山與嘉明湖。營地駐紮在向陽山，有兩個晚上我都在向陽山待月、賞月、觀月，像與老情人幽會。此情此景，人間豈有？可惜太太未能同行，她在忙些凡間俗務，也好，她來了，「兩個女人」碰在一起，「代誌大條」啦！

雪山盟——隨臺大登山會登雪山紀行

一、D日：緣續緣（註一）

我們自向陽山歸來後，開始磨刀霍霍

日日呼喚雪山過來，山不來
終於我們組成一支重裝山地作戰步兵師
向雪山挺進，準備發起攻勢作戰
師長三令五申要求大家嚴守戰爭法及叢林法則
畢竟，公平、正義、環保與安全是最高的自然法

二、D十／日：攻佔東峰，駐紮三六九山莊（註二）

隊伍沿著東方古棧道前行，過思源埡口
在武陵農場進行戰力整補
依最新情報顯示的敵、我、天、地、水
重新修訂山地作戰計畫
沿途不斷有遭遇戰
烏鴉「啊！啊！啊！」為我軍助陣加油
南燭、雲杉、山羊耳、二葉松等均有積極作為
臺灣赤楊是利他主義者
玉山箭竹是種族主義者（註三）

品田山的摺紙遊戲還在進行
正午時分，攻佔東峰，並與武陵四秀形成對峙局面（註四）
為有利於主戰場之戰略考量
指揮官命令：下午先在三六九山莊紮營

三、D＋2日：佔領雪山主峰，向翠池追擊

五點發起弗曉攻擊，主力指向雪山主峰
六點通過臺灣冷杉佈下的「黑森林」迷陣
情報消息指出陣中有「黑武士」出沒（註五）
他原是天生帶有「V」型圖騰的雪山戰將
現在不V了，是我們A了他
我軍快速奪取黑森林，續向主目標前進
不久，在主目標前緣碰到「冰斗圈谷」地陣
大夥兒奮勇前進，通過攻擊發起線
八點攻佔雪山主峰，立即向統帥部報告：
任務圓滿達成，向北可以瞰制大霸尖山及武陵四秀

控領臺灣東西部交通孔道
在雪山主峰可以監聽到亞太地區海空情報活動
確保國家安全

稍事整補後，指揮官命令：
少數兵力留守雪山主峰，主力向翠池追擊
我軍一出發就碰到天然大地障
有石瀑、石坡、石牆；碎石、巨石、确石
亂石砳砳，結石疊疊
一堆堆磊磊天上來，一排排礧礧墜向地獄

千辛萬苦通過大自然設下的砦碉
就碰到眾多玉山圓柏
在這裡打太極拳、跳街舞，或練功打坐的古佛
傳說都有千年修行的功力
他們共同的意志

是向大自然爭取一點點低矮的生存空間
表現其人生的力與美，發揮生命的價值

通過圓柏的千年平臺，就到翠池
敵人早已逃竄一空，只有她不走，守著青山
原來翠池是一個世外村姑
秋波清麗，眉宇多情
還有土地公陪著，顯得有些寂寞
我軍在此舉行隆重祭典
會長張靜二主祭，領隊顏瑞和陪祭，眾將士與祭
以所帶軍糧獻祭土地公，其祭文曰：
國泰民安，風調雨順，將士平安
公平、正義、環保得以申張
再創勝利高峰

四、D＋3日：凱歌與傳承

戰事底定，凱旋歸來
在棲蘭吃西瓜，痛飲黃龍酒
走在椰林大道上，椰影搖曳生姿
如身處黑森林，若夢
「萬呎的高牆　築成別世的露臺
落葉以體溫　苔化了入土的榱樑
喬木停停　間植的莊稼白如秋雲」（註六）
此後，好山好水住進我心中
當我年華老去，雪山月色依然青春如酒，貌美如花
黑武士與人們共享群峰翠綠

註釋

註一　民國九十一年五月〈三叉向、向陽、嘉明湖紀行〉（見《臺大山訊》，民國九十一年六月二十日出版）後，大家相約七月雪山行。此次雪山行還是由顏瑞和教授領軍，陳義夫等任嚮導，會長張靜二教授例外的親自督陣，時程從七月十八到二十一

日。

註二　雪山東峰標高三千二百零一公尺，「三六九山莊」在東峰以西半小時腳程、登主峰大都在此紮營。

註三　臺灣赤楊會分泌一種物質，以利四週各種植物生長，因此，其四週有各類茂盛樹種。玉山箭竹分泌一種物質，制壓其他植物生長，因此，我們所見箭竹林都是很大一片，其他樹種難以生長。

註四　武陵四秀：桃山（三千三百二十五公尺）、池有山（三千三百零三公尺）、品田山（三千五百二十四公尺）、穆特勒佈山（三千六百二十公尺）

註五　「黑武士」指臺灣黑熊，胸前有V字型白毛。

註六　前輩時詩人鄭愁予詩句，他在一九六二年也登過雪山。見《鄭愁予詩選集》，臺北，志文出版社，民國八十九年十一月版，第二百二十五頁。

附件　台大登山會行程安排方式例舉

爬山過日子(一)

日子要怎麼過
有時要問你的腳
腳天生用來走
不是放著好看
林志玲的美腿
也要出來走秀

爬山過日子(二)

我等仙人
最好過日子的方法
就是爬山
用你的腳
在山林寫詩
人和山親愛精誠

臺大教職員工分登山會104年下半年度登山活動行程

日期／活動名稱	活動類別	時間／地點	領隊／嚮導	行程簡介	備註
2015/8/1（週六） 東卯山東南稜 標高：1690m	類別：B、D 里程：8 小時以 流汗指數：3 階梯指數：3 難度指數：3	集合：7/31 17:00 臺大校門口 解散： 臺大校門口	薛應智 0921-825566 宋福祥 0978-866772 高事宜 0920-872080	http://album.blog.yam.com/saygeen&folder=986243 7/31 晚需先抵達停車場紮營，隔日早上 7 點起登>1.2 公里涼亭>右轉陡上>峭壁區>松林小休>屋東縱走岔路>左轉危稜>岩稜>東卯山基點休息>東卯山步道5.2 公里左陡下>德芙蘭步道岔路左轉>岔路右下(左上接涼亭)>岔路左轉直走停車場	乘車資訊：汽車共乘 下車地點：德芙蘭步道停車場 裝備：雨具、登山杖、頭燈、保暖外套、行動糧，帶繩索、工作手套。 其他：本行程須事先報名
2015/8/2（週日） 國旗嶺、圓通寺、玉皇宮道場 標高：150m	類別：A12 里程： 流汗指數：1 階梯指數：1 難度指數：1	集合：8:00 景安捷運站 解散： 玉皇宮道場	陳朝琴 0937-836062 廖慶彰 0916-859525	由中和景安路接復興路經多倫多社區，於中和戶政事務所大樓附近起行上山，沿途樹木扶疏，風景宜人，全線走在稜線上步道，寬闊好走，左側烘爐地土地公廟隔山鄉看，右側中和，函和全貌盡收眼底。天氣良好時，北邊天際陽明大屯、觀音等山伴隨新店溪、淡水河全部浮現，沿途山雖不高視野十分廣遠。	乘車資訊：中和線捷運 下車地點：景安捷運站 裝備：☑一般 其他：
2015/8/9（週日） 猴山坑古道—青龍宮—炮子崙古道 標高：	類別：A10 里程： 流汗指數：1 階梯指數：1 難度指數：1	集合：8:00 棲霞山莊站 解散： 深坑	許顯誠 0952-092720 張玉珠 0921-332580 鄭添福 0932-182695	從祥光寺出發至古道，古道平坦好走，百年古厝增添滄桑歲月。依序走到新光路青龍宮再循炮子崙古道下深坑，可逛一逛深坑老街。 可搭 236 公車至政大一(萬壽路上)，循萬壽路往山上走！	乘車資訊：公車 530(往指南宮) 下車地點：棲霞山莊站 裝備：防晒措施、備飲水、乾糧。 其他：
2015/ 8/15- 8/16 （週六、週日） 平岩山-多加屯山O型 標高：2827m	類別：B、C、D 里程： 流汗指數：3 階梯指數：2 難度指數：3	集合：8/14 17:00 臺大校門口 解散： 臺大校門口	薛應智 0921-825566 宋福祥 0978-866772 高事宜 0920-872080	一條美麗的山徑，森林防火巷中可遠看著聖稜線還有南湖大山中央尖山等，在陡上的山路上迎著微風，我們享受到登山的樂趣，在多加屯的夜裡讓我們忘記一路的疲憊。 2 日皆有登山健行行程，預計完成行程可計次 2 次。	乘車資訊：汽車共乘 下車地點：台七甲 52.4K 裝備：雨具、登山杖、頭燈、保暖外套、行動糧。 其他：本行程須事先報名

活動類別說明：**A**屬大眾路程；**B**屬健腳路程(高耗體力或高難度)；**C**屬中、高山行程(可能需參加行前訓練)；**D**屬事先報名(限額)活動

(A級不依里程數分類，而以登山時間區分：A10為3小時內可完成、A12為約4小時完成、A15為超過4小時，須在山上午餐。)

*流汗指數、階梯指數、難度指數：分1~5級，1最輕鬆，5最吃力，由領隊判斷，提供會員參考。

臺北市公車資訊網：http://www.taipeibus.taipei.gov.tw　新北市公車資訊網：http://e-bus.tpc.gov.tw/　臺鐵列車時刻查詢：http://twtraffic.tra.gov.tw/twrail/

日期／活動名稱	活動類別	時間／地點	領隊／嚮導	行程簡介	備註
2015/8/16（週日） 八斗子忘憂谷 -潮境公園 標高：	類別：A10 里程： 流汗指數：1 階梯指數：1 難度指數：1	集合：8:30 福清宮 解散： 潮境公園	吳依倩 0928-543530 王碩盟 0972-651555	由福清宮出發，走向八斗子港口，自八斗子油庫登上望幽谷，經80高地至七斗山停車平台，再下潮境公園。 此為悠遊慢走賞海景行程，請勿來匆匆去匆匆。 可順遊國立海洋科技博物館，還可搭乘復駛的深澳支線列車前往瑞芳一遊。	乘車資訊：火車或客運至基隆轉乘基隆市公車103 下車地點：八斗子(過馬路至福清宮前集合) 裝備：防曬措施。 其他：
2015/8/23（週日） 臨溪步道-文間山-正願寺 標高：184m	類別：A10 里程： 流汗指數：1 階梯指數：1 難度指數：1	集合：8:00 東吳大學站 解散： 正願寺	許順誠 0952-092720 張玉珠 0921-332580 鄭添福 0932-182695	由東吳大學站出發沿溪旁小路至自強隧道前，沿路曲曲彎彎有些居住建在山腰邊，也有數棟已成廢墟了。一路健行臨溪步道再上登文間山後，再依序下山至正願寺解散！(下山也可走至雞南山生態步道至自強公園出大直)。(交通資訊：255、267、304、620、645、小18、小19、可到東吳大學站)	乘車資訊：劍潭捷運站轉乘公車小18、小19 下車地點：東吳大學站 裝備：防曬措施、備飲水、乾糧。 其他：
2015/ 8/29-8/30 （週六、週日） 加羅山神社、神代山神代池 標高：1566m	類別：B、D 里程： 流汗指數：4 階梯指數：4 難度指數：4	集合：另行通知 (重裝或輕裝) 臺大校門口 解散： 臺大校門口	薛應智 0921-825566 宋福祥 0978-866772 高事宜 0920-872080	如不重裝行走，而改輕裝行動，需住宿四季部落二夜，採重裝行動則紮營神社前平台。 預計行程如下： a.重裝>第一天四季早上起登>紮營神社>隔日直下神代山神代池到留茂安部落(前晚先抵四季部落住宿) b.輕裝>前一晚先抵四季部落>隔日清晨輕裝出發>加羅神社>四季部落往返近30公里.... 第二日清晨再由留茂安輕裝登神代山等往返... 只要自認能挑戰這行程，歡迎參加！	乘車資訊：汽車共乘 下車地點：四季林道竹亭 裝備：雨具、登山杖、頭燈、保暖外套、行動糧，帶繩索、穿雨鞋。 其他：本行程須事先報名
2015/8/30（週日） 菁山小鎮(絹絲瀑布站)-林蔭小路-絹絲瀑布-擎天崗 標高：750m	類別：A10 里程： 流汗指數：1 階梯指數：1 難度指數：1	集合：8:00 絹絲瀑布站 解散： 擎天崗	葉瑞堯 0933-940966 陳朝琴 0937-836062 詹麗雪 0982-135708	炎炎夏日何處去？那就來走一段這林蔭小路吧！且聞那清風徐來，綠竹低語，就在前方不遠處，涓涓水聲，潺潺溪水，讓瀑布中的陰離子洗滌全身，會暑氣全消的，最是闔家出遊的好日子。 附註：領隊會搭109公車或260或紅5，早上7:00在中山樓下車，賺走40分鐘，7:40至絹絲瀑布站，歡迎健腳同仁加入。	乘車資訊：劍潭捷運站轉小15 下車地點：絹絲瀑布站 裝備：☑一般 其他：

活動類別說明：**A**屬大衆路程；**B**屬健腳路程(高耗體力或高難度)；**C**屬中、高山行程(可能需參加行前訓練)；**D**屬事先報名(限額)活動

(A級不依里程數分類，而以登山時間區分：A10為3小時內可完成、A12為約4小時完成、A15為超過4小時，須在山上午餐。)

*流汗指數、階梯指數、難度指數：分1~5級，1最輕鬆，5最吃力，由領隊判斷，提供會員參考。

臺北市公車資訊網：http://www.taipeibus.taipei.gov.tw 新北市公車資訊網：http://e-bus.tpc.gov.tw/ 臺鐵列車時刻查詢：http://twtraffic.tra.gov.tw/twrail/

臺大山訊 104(下)

日期／活動名稱	活動類別	時間／地點	領隊／嚮導	行程簡介	備註
2015/9/6（週日） 毋忘在莒步道 上劍潭山(小百岳) **標高**：153m	**類別**：A10 **里程**： **流汗指數**：2 **階梯指數**：2 **難度指數**：2	**集合**：8:00 捷運劍潭站 1號出口 **解散**： 劍潭山	許顯誠 0952-092720 張玉珠 0921-332580 鄭添福 0932-182695	毋忘在莒步道屬於劍潭山的支線，入口位於銘傳大學旁，中山北路五段的282巷內。這條步道並沒有正式的名稱，因為步道途中的路旁岩壁刻有(毋忘在莒)山友乃以此為名。	**乘車資訊**：捷運淡水線或公車220、280、285、290、606、685、902等 **下車地點**：捷運劍潭站或銘傳大學 **裝備**：☑一般 **其他**：
2015/ 9/12-9/13 （週六、週日） **梅山員潭生態園區、龍興宮順登大尖山** **標高**：1304m	**類別**：B、D **里程**：6-7小時 **流汗指數**：2 **階梯指數**：2 **難度指數**：2	**集合**：6:30 臺灣大學 **解散**： 臺灣大學	薛應智 0921-825566 宋福祥 0978-866772 林繼昌 0932-193190	茶園迎風賞夜景，人生有幾回呢.… 我們先造訪員潭生態園區，夜宿太平老街附近民宿飯店後，隔日拜訪大尖山，再悠遊華山地區。歡迎大家大家報名參加，行程人數含嚮導計20人，報名截止後退出者，仍須繳付車資、住宿等費用，參加者請遵守會規榮譽，勿私自離隊。	**乘車資訊**：專車 **下車地點**：梅山太平 **裝備**：雨具、登山杖、頭燈、保暖外套、行動糧等。 **其他**：本行程須事先報名
2015/9/13（週日） 二子坪、三聖宮 **標高**：820m	**類別**：A10 **里程**： **流汗指數**：1 **階梯指數**：1 **難度指數**：1	**集合**：8:00 二子坪 **解散**： 二子坪公園	許淑慧 0952-466520 陳華國 0928-513908	二子坪站下車，經登山口直接進入步道，經三聖宮 到二子坪公園，坐小型公車108回。此路線大多在林蔭中行走，可享受森林浴之樂趣。	**乘車資訊**：公車109、紅5至陽明山轉108遊園公車 **下車地點**：二子坪 **裝備**：☑一般 **其他**：
2015/9/20（週日） 二格山自然中心、番薯寮山、烏塗窟山 **標高**：470、355m	**類別**：A12 **里程**： **流汗指數**：2 **階梯指數**：2 **難度指數**：2	**集合**：8:00 小格頭 **解散**： 二格山自然中心	宋福祥 0978-866772 李鴻春 0972-651522	參考 http://www.tonyhuang39.com/tony1016/tony1016.html	**乘車資訊**：新店捷運站搭綠12坪林線或自行開車 **下車地點**：小格頭 **裝備**：☑一般 **其他**：
2015/ 9/24-9/28 （週四-週一） 雪劍縱走 **標高**：3884m	**類別**：C、D **里程**： **流汗指數**：5 **階梯指數**：5 **難度指數**：5	**集合**：17:00 臺大校門口 **解散**： 臺大校門口	陳文翔 0972-651809 王碩盟 0972-651555	9/24: 傍晚出發，宿七卡山莊 9/25: 七卡-雪山-翠池 9/26: 翠池-大劍山-油婆蘭營地 9/27: 油婆蘭營地來回佳陽山、小劍山 9/28: 油婆蘭營地-天梯登山口-台北	**乘車資訊**：自行開車 **下車地點**：雪山登山口 **裝備**：高山裝備 **其他**：本行程須事先報名，報名請先洽領隊同意。

活動類別說明：**A**屬大眾路程；**B**屬健腳路程(高耗體力或高難度)；**C**屬中、高山行程(可能需參加行前訓練)；**D**屬事先報名(限額)活動

(A級不依里程數分類，而以登山時間區分：A10為3小時內可完成、A12為約4小時完成、A15為超過4小時，須在山上午餐。)

*流汗指數、階梯指數、難度指數：分1~5級，1最輕鬆，5最吃力，由領隊判斷，提供會員參考。

臺北市公車資訊網：http://www.taipeibus.taipei.gov.tw　新北市公車資訊網：http://e-bus.tpc.gov.tw/　臺鐵列車時刻查詢：http://twtraffic.tra.gov.tw/twrail/

日期／活動名稱	活動類別	時間／地點	領隊／嚮導	行程簡介	備註
2015/9/27（週日） 四角亭砲台 標高：205m	類別：A10 里程：km 流汗指數：1 階梯指數：2 難度指數：1	集合：8:00 四腳亭火車站 解散： 四腳亭砲台	吳依倩 0928-543530	擁有 110 年歷史的新北市瑞芳四腳亭砲台，為日治時期基隆要塞轄下規模最大、保存最完整的內陸防禦的砲台，所在地壕洞亦是當地居民躲避空襲之海防、空房砲台，美軍攻台時曾發揮防治效果。新北市府斥資九千多萬元修復並增設遊客中心、指標等公設。	乘車資訊：臺鐵區間車 4148 次（台北 7:35、松山 7:42） 下車地點：四腳亭火車站 裝備：☑一般 其他：
2015/10/ 3-10/ 4 （週六、週日） 花蓮佐倉步道、文山綠水合流步道 標高：600m	類別：B、D 里程：7 小時 流汗指數： 階梯指數： 難度指數：	集合：6:30 臺灣大學 解散： 臺灣大學	薛應智 0921-825566 徐年盛 0938-887106 張玉珠 0921-332580	初秋的花蓮天空一樣湛藍，佐倉步道遠望著七星潭海域也是一種心靈上的沐浴，晚上我們依將夜宿在寧靜的天祥活動中心，隔日再訪百年前的合歡越嶺警備道一文山段古道，古道上有陡坡、吊橋、跑馬場，也有日人駐在所遺跡。不想走文山古道的同仁可走白楊綠水合流等步道，大家再於合流營區集合北返。本行程總人數含領隊等計 30 位，於報名截止後退出者，仍須繳納部分費用，如車資、住宿等(可找人遞補)，參加者請遵守會規榮譽，勿私自離隊。	乘車資訊：專車 下車地點：天祥活動中心 裝備：雨具、登山杖、頭燈、保暖外套、行動糧。 其他：本行程須事先報名
2015/10/4（週日） 大溝溪親水步道-鯉魚山下大湖 標高：222m	類別：A10 里程： 流汗指數：1 階梯指數：2 難度指數：1	集合：8:00 捷運大湖公園站 1 號出口 解散： 鯉魚山	宋延齡 0939-919702 蔡懷楨 0939-919701	由捷運大湖公園站啓程，經大湖國小後穿過街巷底為大溝溪生態濕地，規劃親水步道，溪水建有魚巢及生態魚梯等，小橋溪水，果菜園，好一幅祥和情趣，上到圓覺瀑布前，經過一段階梯，拾級而上鯉魚山後，下至原點。	乘車資訊：捷運文湖線，公車 287,247,284,紅 2 下車地點：捷運大湖公園站 裝備：☑一般 其他：
2015/10/ 9-10/11 （週五-週日） 花蓮漫遊 標高：m	類別：A、D 里程： 流汗指數：2 階梯指數：2 難度指數：2	集合：7:20-暫訂 台北火車站 (捷運淡水線出口)-暫訂 解散： 花蓮火車站	陳惠美 0939-942661 柯文俊 0928-268565 林寶貴 0928-268565	報名須知： 1.報名時請務必註明是否同意搭乘火車團進團出。 2.將以 8/1 報名團進團出的人數預訂火車票。 3.訂購車票後將先收取全額費用。 4.訂票或繳費後退出者，將先由候補者遞補，無候補者，請退出者找人遞補，否則將收取已發生的費用。 預訂行程： D1.7:20 台北車站集合→7:40 火車→花蓮車站→蓮花池步道→七星潭。 D2.7:00 雲山水夢幻湖→富源森林遊樂區→太巴塱部落→月盧晚餐。 D3.自由活動（逛街購物、自行車、鯉魚山.），預計搭 17:30 火車回台北。 住宿：花蓮英雄館雙人房（2 人一間，含早餐） 預計人數：含領隊嚮導共計 26 人。 預估費用：約 4500（含來回車票、2 天包車費用、2 天宿費、保險費、D2 門票及泡湯券、D2 晚餐、雜支），實報實銷。自行開車者費用另計。	乘車資訊：火車或自行開車 下車地點：花蓮火車站 裝備：☑一般 其他：出發時間、集合地點及行程以網站公告為準。本行程須事先報名。 1.本次登記為 2 次行程。 2.如果無法順利訂到台北到花蓮的火車票，將改搭葛瑪蘭到羅東轉乘火車。 3.請帶泳帽泳衣及蛙鏡(SPA)。 4.除 D2 早晚餐及 D3 早餐，其餘各餐自理。

活動類別說明：**A**屬大眾路程；**B**屬健腳路程(高耗體力或高難度)；**C**屬中、高山行程(可能需參加行前訓練)；**D**屬事先報名(限額)活動
(A級不依里程數分類，而以登山時間區分：A10為3小時內可完成、A12為約4小時完成、A15為超過4小時，須在山上午餐。)
*流汗指數、階梯指數、難度指數：分1~5級，1最輕鬆，5最吃力，由領隊判斷，提供會員參考。

臺北市公車資訊網：http://www.taipeibus.taipei.gov.tw　新北市公車資訊網：http://e-bus.tpc.gov.tw/　臺鐵列車時刻查詢：http://twtraffic.tra.gov.tw/twrail/

臺大山訊 104(下)

日期／活動名稱	活動類別	時間／地點	領隊／嚮導	行程簡介	備註
2015/10/11（週日） 七星山 標高：1120m	類別：A10 里程： 流汗指數：1 階梯指數：2 難度指數：2	集合：8:30 陽明山遊客中心 解散： 冷水坑	葉瑞堯 0933-940966 詹麗雪 0982-135708	七星山是台北盆地北緣的一等三角點，視野極佳，南望台北盆地，再遠一點為新店烏來山區。左右斜望是東西一等三角點盟主：土庫岳與大棟山。 本路線為考量同仁需要，分成在七星山與七星公園難易兩路線，然後在七星公園會合，下到冷水坑解散。	乘車資訊：假日公車 109 下車地點：109 公車終點(陽明山第二停車場) 裝備：☑一般 其他：提醒集合地點是陽明山遊客中心(第二停車場對面)。
2015/10/17（週六） 清天宮上大屯西南峰下北投 標高：最高 982 m	類別：B、D 里程：10km 流汗指數：3 階梯指數：3 難度指數：3	集合：8:30 北投清天宮 解散： 新北投捷運站	柯文俊 0928-268565 林寶貴 0928-268565 李春雨 0910-837350	請自行於 8:00 前在捷運北投站轉搭小 6 公車。 若天氣許可，預計行程為：清天宮(465m)、面天坪(790m)、大屯西峰(982m)、大屯南峰(957m)、中正山(646m)、新北投捷運站。 若天氣不佳之備用行程為：清天宮(465m)、向天池、向天山(880m)、面天山(977m)、二子坪步道。	乘車資訊：捷運北投站轉搭小 6 公車 下車地點：北投清天宮 裝備：請自行準備中餐、雨具、登山杖。強烈建議穿雨鞋。 其他：本行程須事先報名
2015/10/18（週日） 天母古道續走橫嶺古道、半嶺步道 標高：500m	類別：A10+B15 里程： 流汗指數：2 階梯指數：2 難度指數：2	集合：8:30 天母公車站 解散： A:陽明山總站 B:天母公車站	顏瑞和 0918-313820 陳義夫 0920-139878	天母古道親山步道穿越士林華岡地區的西北山坡，也是紗帽山南邊的鞍部，屬於早年魚路古道的後段，涵蓋華岡至天母間的數條步道，沿著大水管構築，潺潺溪水、原始林相，步行其間，讓人倍覺涼爽舒適。 從慈悟寺後方的緩坡小路再接回水管路步道的平坦路段，避開水管路步道開始陡又長的石階，讓膝節以及腿力較差的人也能輕鬆走。 路線：天母公車站->慈悟寺->水管路步道->南礦溪畔步道->前山公園->橫嶺古道->半嶺步道->天母公車站。	乘車資訊：捷運石牌站轉公車 224、紅 19、601、128、285、606 下車地點：天母公車站 裝備：請自備午餐，亦可在前山公園 7-11 補給。 其他：
2015/10/24-10/25 （週六、週日） 銅山賞山毛櫸 標高：1920m	類別：B、D 里程： 流汗指數：2 階梯指數：2 難度指數：2	集合：另行通知 臺灣大學 解散： 臺灣大學	薛應智 0921-825566 高事宜 0920-872080	秋季泛紅的山頭，如詩如畫映現眼前，人來人往山毛櫸步道上.... 第一日早上 9:30 我們將由翠峰停車處重裝出發經山毛櫸步道終點，下切稜線約下午 1:00 可到宿營點，營地整理後，將過一個歡樂的下午.... 隔日早上 6:00 輕裝前往銅山，約 9:00 可到達銅山基點，稍作休息後，將沿著優美的山徑回到翠峰停車處。 行程總人數含領隊等總計 12 位，參加者須能分攤團體裝備及車資，參加人員需遵守會規榮譽，更勿自行離隊。	乘車資訊：自行開車 下車地點：翠峰湖停車場 裝備：雨具、頭燈、乾糧、登山杖、保暖衣物、穿雨鞋。 其他：本行程須事先報名

活動類別說明：A屬大眾路程；B屬健腳路程(高耗體力或高難度)；C屬中、高山行程(可能需參加行前訓練)；D屬事先報名(限額)活動

(A級不依里程數分類，而以登山時間區分：A10為3小時內可完成、A12為約4小時完成、A15為超過4小時，須在山上午餐。)

*流汗指數、階梯指數、難度指數：分1~5級，1最輕鬆，5最吃力，由領隊判斷，提供會員參考。

臺北市公車資訊網：http://www.taipeibus.taipei.gov.tw　新北市公車資訊網：http://e-bus.tpc.gov.tw/　臺鐵列車時刻查詢：http://twtraffic.tra.gov.tw/twrail/

日期／活動名稱	活動類別	時間／地點	領隊／嚮導	行程簡介	備註
2015/10/25（週日） 象山(A)、南港山稜線走透透(B) 標高：183m	類別：A10+B 里程：A1km/B8km 流汗指數：2 階梯指數：3 難度指數：1	集合：8:00 吳興國小大門口 解散：	柯文俊 0928-268565 林寶貴 0928-268565	象山位於台北市信義區，位於台北盆地東緣的南港山系西側，因山形似象而得名，與臨近的獅山、虎山、豹山、合稱為四獸山。山頂海拔 183m，高度雖然不高，但因臨近台北市區，交通方便，視野良好，成為台北市民眾重要的休閒場所。走完象山後可自由續行南港山稜線之拇指山、南港山等山頭。	乘車資訊：公車 1、22、33、37、226、288、665、藍 5 下車地點：吳興國小站 裝備：B 組請自行攜帶午餐、雨具及登山杖。 其他：
2015/10/31（週六） 筆架山 (原路來回) 標高：585m	類別：B 里程： 流汗指數：3 階梯指數：3 難度指數：3	集合：9:10 指南宮站 解散： 草楠大榕樹	許翠芳 0922-728005 陳惠美 0939-942661	筆架山，海拔 585 公尺，位於台北縣石碇鄉，是台北近郊名山之一，而位於深坑、石碇之間的山稜線上。本次將由貓纜指南宮站往草湳大榕樹方向，順著產業道路前往筆架連峰、二格山登山步道登山，原路來回。	乘車資訊：貓空纜車 下車地點：指南宮站 裝備：☑一般 其他：
2015/11/1（週日） 尾崙山上平等里 標高：359m	類別：A10+B 里程： 流汗指數：1 階梯指數：2 難度指數：1	集合：8:30 故宮博物院公車站 解散： A：莊頂路 B：平等里	顏瑞和 0918-313820 陳義夫 0920-139878	自故宮原住民文化公園旁步道上行，走石階小徑上到土地公廟後，沿產業道路一小段，接石階路到柏園山莊。途經一教會學校後走到尾崙水圳，再沿水圳走經菁礐溪到公平橋後，稍陡上坡道石階進入平等里社區。全程距離約 9-10km，路程需走 4 小時。 參加 A 段者，需 2 小時，在莊頂路 80 巷分離走柏油路到仰德大道搭公車回台北。	乘車資訊：捷運士林站轉 255 或劍潭站轉小 18 下車地點：故宮博物院公車站 裝備：參加 B 者請備中餐，亦可在平等里餐廳用餐 其他：
2015/11/ 1-11/ 2 （週日、週一） 大雪山森林遊樂區-小雪山步道 標高：2666m	類別：B、D 里程：10km 流汗指數：2 階梯指數：2 難度指數：2	集合：7:00 臺大校門口 解散： 臺大校門口	徐年盛 0938-887106 許顯誠 0952-092720 張玉珠 0921-332580 高事宜 0920-872080 鄭添福 0932-182695	稍來小雪山步道位於鳶嘴稍來步道之後，全長約十公里，落差 600m，算是一條不錯的森林步道。預計第一天就走這條步道，由 35.2K 的入口往上走，會先經過船形山，再上行到最高點的鞍馬山，最後緩下小雪山旅遊資訊站。第二天則以觀賞附近重要的景點為主，如大雪山神木，小神木，天池等。	乘車資訊：自行開車或中巴 下車地點：鞍馬山莊 裝備：☑一般 其他：成行以是否訂到山莊住宿為原則，名額最多再 15 人。本行程須事先報名。

活動類別說明：A屬大眾路程；B屬健腳路程(高耗體力或高難度)；C屬中、高山行程(可能需參加行前訓練)；D屬事先報名(限額)活動

(A級不依里程數分類，而以登山時間區分：A10為3小時內可完成、A12為約4小時完成、A15為超過4小時，須在山上午餐。)

*流汗指數、階梯指數、難度指數：分1~5級，1最輕鬆，5最吃力，由領隊判斷，提供會員參考。

臺北市公車資訊網：http://www.taipeibus.taipei.gov.tw　新北市公車資訊網：http://e-bus.tpc.gov.tw　臺鐵列車時刻查詢：http://twtraffic.tra.gov.tw/twrail/

臺大山訊 104(下)

日期／活動名稱	活動類別	時間／地點	領隊／嚮導	行程簡介	備註
2015/11/7（週六） **2015 IML 國際健行** 標高：m	類別：B、D 里程：20km 流汗指數：1 階梯指數：1 難度指數：1	集合：8:20 北投桃源國中 解散： 北投桃源國中	陳惠美 0939-942661 許顯誠 0952-092720 鄭添福 0932-182695	1.請參考中華民國山岳協會網站公佈的「第 69 屆團體越野暨第 25 屆台灣 IML 健行大會」行程說明。 2.參加本活動者，可自行決定是否向主辦單位(中華民國山岳協會)辦理報名，不繳費報名者亦可參加本活動。 3.欲繳費報名者，事先報名或活動當天現場報名皆可，繳費報名者，主辦單位將會贈送報名禮及完步證書，活動期間還可參加 2 天的現場抽獎活動。欲事先繳費報名者，建議可以 email 請本活動嚮導許顯程先生代為協助。 4.本健行活動分為 5K，10K，20K，30K，我們將於北投桃源國中校門口 8 點集合報到後先簽名，再請個人依自身體能決定參加的里程數，並依主辦單位活動現場的工作人員指示前進。 5.北投桃源國中地址：臺北市北投區中央北路 4 段 48 號。	乘車資訊：捷運淡水線 下車地點：捷運淡水線忠義站（出口右轉 300 公尺） 裝備：☑一般 其他：本行程須事先報名，注意事項將以 email 通知。當天 8 點集合後先簽名再出發。 搭乘公車資訊：(1)公車 216(副)、223、302、308、550、632，請於「桃源國中」站下車。(2)公車 216(副)、223、302、308、550、632、小 23，請於「中央北路」站下車。
2015/11/8（週日） 烘爐地 (南山福德宮) 標高：m	類別：A10 里程： 流汗指數：1 階梯指數：2 難度指數：1	集合：8:00 南勢角捷運站 解散： 南山福德宮	宋福祥 0978-866772 李鴻春 0972-651522	南勢角捷運站→華夏技術學院後山登山口→烘爐地(南山福德宮)	乘車資訊：自行搭車 下車地點：南勢角捷運站 裝備：☑一般 其他：
2015/11/14（週六） （校慶健行） 新店溪河濱步道 標高：20m	類別：A10、D 里程：6km 流汗指數：1 階梯指數：1 難度指數：1	集合：8:00 水源校區 解散： 小碧潭公園	陳文翔 0972-651809 葉瑞堯 0933-940966 潘文傑 0922-475627	集合地點為水源校區八卦園，聆聽校長與老師給大家提醒與健康的祝福後，往河堤方向前進，沿路皆有導引人員，本次健行屬於大型活動，敬請參加人員務必遵守導引者指示方向行走，沿路欣賞河堤風景，終點站為小碧潭公園，領取紀念品後，可由小碧潭捷運站搭捷運返回。屬於大型活動，敬請參加人員務必遵守導引者指示方向。**敬請所有嚮導與幹事加入導引工作。**	乘車資訊： 下車地點： 裝備：☑一般 其他：為辦理保險及準備紀念品，本活動須先至 myNTU 活動報名網站登錄報名。
2015/11/15（週日） **象山(松山商職-永春高中線)(A)、南港山(B)** 標高：183m	類別：A10/B 里程：1km/8km 流汗指數：2 階梯指數：3 難度指數：1	集合：8:00 松山商職大門口 解散： A:象山山頂平台	柯文俊 0928-268565 林寶貴 0928-268565	象山位於台北市信義區，位於台北盆地東緣的南港山系西側，因山形似象而得名，與臨近的獅山、虎山、豹山，合稱為四獸山。山頂海拔 183m，高度雖然不高，但因臨近台北市區，交通方便，視野良好，成為台北市民眾重要的休閒場所。走完象山後可自由續行南港山稜線之拇指山、南港山等山頭。	乘車資訊：公車 20、33、277、286、299、綠 16 下車地點：松山商職站 裝備：B 組請自行攜帶午餐、雨具及登山杖。 其他：

活動類別說明：**A**屬大眾路程；**B**屬健腳路程(高耗體力或高難度)；**C**屬中、高山行程(可能需參加行前訓練)；**D**屬事先報名(限額)活動

(A級不依里程數分類，而以登山時間區分：A10為3小時內可完成、A12為約4小時完成、A15為超過4小時，須在山上午餐。)

*流汗指數、階梯指數、難度指數：分1~5級，1最輕鬆，5最吃力，由領隊判斷，提供會員參考。

臺北市公車資訊網：http://www.taipeibus.taipei.gov.tw　新北市公車資訊網：http://e-bus.tpc.gov.tw/　臺鐵列車時刻查詢：http://twtraffic.tra.gov.tw/twrail/

日期／活動名稱	活動類別	時間／地點	領隊／嚮導	行程簡介	備註
2015/11/21（週六） 阿玉溪山、拉樸山及大刀山 **O** 型 **標高**：最高 836m	**類別**：B、D **里程**：10km **流汗指數**：3 **階梯指數**：3 **難度指數**：3	**集合**：7:00 臺大正門新生南路路邊 **解散**：	柯文俊 0928-268565 林寶貴 0928-268565 李春雨 0910-837350	預計從桶后林道的阿玉溪登山ㄇ起登，依序先至阿玉溪山(497m)，繼至拉樸山(836m)後下內洞林道至大刀山(620m)。隨後踢 4.7k 內洞林道回烏玉檢查哨。	**乘車資訊**：車輛共乘 **下車地點**：烏玉檢查哨 **裝備**：請自備飲水、中餐、雨具與頭燈。 **其他**：本行程須事先報名
2015/11/22（週日） 中埔山連走福州山下富陽公園 **標高**：139m	**類別**：A10 **里程**： **流汗指數**：1 **階梯指數**：2 **難度指數**：1	**集合**：8:30 辛亥捷運站 **解散**： 富陽公園	許翠芳 0922-728005 陳惠美 0939-942661	中埔山 H139m，福州山 H100m，富陽公園是日據時代迄民國 77 年的軍事彈藥庫。 行程：出辛亥捷運站過馬路後左轉，由 77 巷進入到登山口登中埔山後連走福州山再下富陽公園，途中有**部份路段需上上下下，路面也較窄，請小心行走！**	**乘車資訊**：捷運文湖線 **下車地點**：辛亥捷運站 **裝備**：☑一般 **其他**：
2015/11/28（週六） 天德巷雙溪山 **O** 型 **標高**：728m	**類別**：B、D **里程**：8 小時 **流汗指數**：3 **階梯指數**：3 **難度指數**：3	**集合**：6:30 臺灣大學 **解散**： 臺灣大學	薛應智 0921-825566 宋福祥 0978-866772	幽美的蚋仔溪支流曾經多次踏過... 今天的行程我們將由天德巷採順時鐘走法，上到四岔路口再右轉，往雙溪山下輸電路回到天德巷。 參加者請自揹公水 1000cc，參加者請遵守會規榮譽，勿私自離隊。	**乘車資訊**：自行開車 **下車地點**：滿月圓天德巷岔路口 **裝備**：雨具、登山杖、頭燈、保暖外套、行動糧，穿雨鞋。 **其他**：本行程須事先報名
2015/11/29（週日） 新店碧潭東、西岸河濱步道健行 **標高**：m	**類別**：A10 **里程**： **流汗指數**：1 **階梯指數**：1 **難度指數**：1	**集合**：8:00 捷運新店站 **解散**： 碧潭	顏田誠 0923-942609 許顯誠 0952-092720	新店站出發經東岸-陽光橋-西岸輕鬆健行。	**乘車資訊**：新店線捷運 **下車地點**：捷運新店站 **裝備**：☑一般 **其他**：
2015/12/3（週四） **會員大會**		**集合**：18:00 行政大樓 第 1 會議室			

活動類別說明：**A**屬大眾路程；**B**屬健腳路程(高耗體力或高難度)；**C**屬中、高山行程(可能需參加行前訓練)；**D**屬事先報名(限額)活動

(A級不依里程數分類，而以登山時間區分：A10為3小時內可完成、A12為約4小時完成、A15為超過4小時，須在山上午餐。)

*流汗指數、階梯指數、難度指數：分1~5級，1最輕鬆，5最吃力，由領隊判斷，提供會員參考。

臺北市公車資訊網：http://www.taipeibus.taipei.gov.tw　新北市公車資訊網：http://e-bus.tpc.gov.tw/　臺鐵列車時刻查詢：http://twtraffic.tra.gov.tw/twrail/

臺大山訊 104(下)

日期／活動名稱	活動類別	時間／地點	領隊／嚮導	行程簡介	備註
2015/12/ 5-12/ 6（週六、週日） 牡丹水庫順登里龍山 標高：1062m	類別：B、D 里程：7 小時 流汗指數：2 階梯指數：2 難度指數：2	集合：6:00 高鐵台北站 解散： 高鐵台北站	徐年盛 0938-887106 高事宜 0920-872080 鄭添福 0932-182695	第一天搭乘6:30 高鐵南下左營轉接駁車到牡丹水庫巡禮，下午1:00 從旭海沿著台26 海岸公路漫步到港仔漁港，全程8.5 公里，於此上接駁車，夜宿救國團墾丁活動中心。 隔日早上6:00 晨喚-7:00 早餐-7:40 上車-8:30 到達里龍山竹坑登山口台26 線6.6 公里處路口有大陸羊肉爐(或健行南佳步道"阿郎壹古道南段"需視墾管處是否開放通行)，上登後接駁車轉北登山口龍峰寺等候，下山於枋寮慶功宴，再搭20:30 左右高鐵回台北。行程總人數含領隊等計30 人，報名截止日期為10 月20 日，報名截止後(須先繳付高鐵往返費用，校總區同仁請交給營繕組張玉珠，醫學院同仁請交給薛應智)，退出仍須繳付車資住宿等費用(可找人遞補)，有搭車優待請註名於報名表上。	乘車資訊：高鐵 下車地點：高鐵左營站 裝備：雨具(傘)、登山杖、頭燈、保暖外套、行動糧(三餐)。 其他：本行程須事先報名
2015/12/6（週日） 二龍山-長春關-花園新城 標高：304m	類別：A10 里程： 流汗指數：1 階梯指數：1 難度指數：1	集合：8:00 民壯亭站 解散： 花園新城	許淑慧 0952-466520 陳華國 0928-513908	二龍山標高 304m，圖根點基石；長春關的規模不大，建在半山橘園中。由民壯亭起步，朝台北方向行走約100 餘公尺，即右轉入新烏路二段 369 巷上登。	乘車資訊：公車 849 下車地點：民壯亭站 裝備：☑一般 其他：
2015/12/12（週六） 妙心寺登烏來山連走大桶山出忠治 標高：最高 916m	類別：B、D 里程：10km 流汗指數：3 階梯指數：3 難度指數：3	集合：9:00 烏來公車總站大樹下 解散： 忠治公車站	柯文俊 0928-268565 林寶貴 0928-268565 李春雨 0910-837350	妙心寺海拔 86m，烏來山標高 820m，大桶山標高 916m。	乘車資訊：新店客運 849 下車地點：烏來公車總站 裝備：請自備飲水、中餐、雨具與頭燈。 其他：本行程須事先報名
2015/12/13（週日） 樟湖-樟樹步道 O 型遊 標高：382m	類別：A10 里程：km 流汗指數：1 階梯指數：1 難度指數：1	集合：9:15 貓空站(貓纜終點站) 解散： 貓空站	許翠芳 0922-728005 陳惠美 0939-942661	行程：貓纜貓空站→樟湖步道→待老坑山→樟樹步道→貓纜貓空站。 說明：由貓纜走樟湖步道上待老坑山為緩坡上山，請衡量自身體能參加活動，並請確實遵守領隊指示的出發時間及應注意事項。	乘車資訊：貓空纜車 下車地點：貓空站(貓纜終點站) 裝備：☑一般 其他：預計於待老坑山頂簽名。

活動類別說明：**A**屬大眾路程；**B**屬健腳路程(高耗體力或高難度)；**C**屬中、高山行程(可能需參加行前訓練)；**D**屬事先報名(限額)活動

(A級不依里程數分類，而以登山時間區分：A10為3小時內可完成、A12為約4小時完成、A15為超過4小時，須在山上午餐。)

*流汗指數、階梯指數、難度指數：分1~5級，1最輕鬆，5最吃力，由領隊判斷，提供會員參考。

臺北市公車資訊網：http://www.taipeibus.taipei.gov.tw 新北市公車資訊網：http://e-bus.tpc.gov.tw/ 臺鐵列車時刻查詢：http://twtraffic.tra.gov.tw/twrail/

國立臺灣大學教職員工登山會會刊

日期／活動名稱	活動類別	時間／地點	領隊／嚮導	行程簡介	備註
2015/12/19（週六） 草嶺古道縱走桃源谷 標高：616m	類別：B、D 里程：15km 流汗指數：2 階梯指數：2 難度指數：2	集合：8:00 福隆火車站 解散： 大溪火車站	王筱珮 0928-615810 王碩盟 0972-651555	搭乘台鐵4138號區間車，板橋6:11開車，台北6:25開車，於福隆火車站下車，順著指標走到草嶺觀景台，右轉桃源谷，下到大溪火車站；沿途路程距長，但是景觀絕對值回票價。請備妥足夠的行動糧、飲用水，還有防曬裝備。	乘車資訊：火車 下車地點：福隆火車站 裝備：須備午餐。 其他：路途長，請考量速度。本行程須事先報名
2015/12/20（週日） 南港山九五峰(北興宮線)(A)縱走至拇翠山莊下山(B) 標高：375m	類別：A10/B 里程：4k/10km 流汗指數：2 階梯指數：3 難度指數：1	集合：8:00 福德街福德國小大門口 解散： 南港山山頂打印台	柯文俊 0928-268565 林寶貴 0928-268565	南港山系是中新世沉積岩層隆起的山脈，最大的特色就是「橫看成嶺側成峰，遠近高低各不同」，與岩漿噴出錐狀的火山，呈現迥然不同的風貌。欣賞沉積岩美麗的精妙處，在於明瞭地形的差異侵蝕，也許是風的搬運，也許是水的切割，有板塊推擠的應力，有雨水溶解的作用。拇指山的山頂就是因為差異侵蝕，形成有如拇指狀的山形而得名；山頂的巨岩與其石縫間水漬氧化的紋路，是最有看頭的勝景之一，除了可欣賞巨石的嶔奇磊落之外，也能得窺2,000多萬年前沉積環境的奧秘。	乘車資訊：公車257、263、286、藍10、信義幹線 下車地點：福德國小站 裝備：B組請自行攜帶午餐、雨具及登山杖。 其他：
2015/12/26-12/27 （週六、週日） 天山嶺賞梅 再訪望鄉部落 標高：1846、1427m	類別：B、D 里程：8小時 流汗指數：2 階梯指數：2 難度指數：2	集合：6:30 臺灣大學 解散： 臺灣大學	薛應智 0921-825566 徐年盛 0938-887106 、林繼昌 0932-193190	夜夜徘回遠望，才知道那山頭是我的故鄉，陳有蘭溪有著美麗的記憶....今年寒梅綻放的那一刻，我又將回到妳的懷抱。 第一天行程是水里賞梅秘境>>>天山嶺賞梅(或其他替代行程)，夜宿部落，隔日再走望美山、瓊山，行程人數含領隊等計30位，報名截止後退出者仍需繳付部分費用如車資、住宿等。參加者請遵守會規榮譽勿私自離隊。	乘車資訊：專車 下車地點： 裝備：雨具、登山杖、頭燈、保暖外套、行動糧(三餐)。 其他：本行程須事先報名
2015/12/27（週日） 新店和美山半山腰步道下渡船口 標高：m	類別：A10 里程： 流汗指數：2 階梯指數：2 難度指數：2	集合：8:00 捷運新店站 解散： 新店西岸	顏田誠 0923-942609 張玉珠 0921-332580	捷運新店站出發至和美山半山腰步道，在樹蔭下走步道別有一番情境。依序下階梯步道至渡船口乘船過溪至西岸解散，若不坐船可回原路慢慢走到吊橋。	乘車資訊：捷運新店線 下車地點：捷運新店站 裝備：防晒措施。 其他：

活動類別說明：**A**屬大衆路程；**B**屬健腳路程(高耗體力或高難度)；**C**屬中、高山行程(可能需參加行前訓練)；**D**屬事先報名(限額)活動
(A級不依里程數分類，而以登山時間區分：A10為3小時內可完成、A12為約4小時完成、A15為超過4小時，須在山上午餐。)
*流汗指數、階梯指數、難度指數：分1~5級，1最輕鬆，5最吃力，由領隊判斷，提供會員參考。

臺北市公車資訊網：http://www.taipeibus.taipei.gov.tw　新北市公車資訊網：http://e-bus.tpc.gov.tw/　臺鐵列車時刻查詢：http://twtraffic.tra.gov.tw/twrail/

日期／活動名稱	活動類別	時間／地點	領隊／嚮導	行程簡介	備註
2016/1/1（週五） 四分里山、九五峰 **標高**：225、370m	**類別**：A10 **里程**： **流汗指數**：2 **階梯指數**：3 **難度指數**：1	**集合**：8:00 松山商職 **解散**： 九五峰	徐年盛 0938-887106 高事宜 0920-872080	從松山家商沿福德街向東出發，至福德街底右轉，不久到達北興宮，並由此上登。一路拾階而上，上至主稜後左側有一福德祠，循祠旁山徑上登四分里山。原路回到福德祠，沿稜線步道前往九五峰。	**乘車資訊**：257、信義(新)幹線、20、207、263、277、286、299、33、46、綠16、藍10等 **下車地點**：松山商職 **裝備**：☑一般 **其他**：
2016/1/3（週日） 龍崗步道 登槓子寮砲台 **標高**：150m	**類別**：A10 **里程**： **流汗指數**：1 **階梯指數**：2 **難度指數**：1	**集合**：8:30 海洋大學 **解散**： 槓子寮砲台	吳依倩 0928-543530 王碩盟 0972-651555	位於基隆海洋大學後山的「龍崗自然生態步道」，為近年來基隆市政府積極開發的一條結合自然、觀景、健行、賞蝶、賞螢的休憩步道，全長約2公里。 「槓子寮砲台」為國定二級古蹟，位於基隆市海洋大學後方的槓子寮山區，倚山面海、地勢險要，海拔高度150m，佔地近2公頃，與二沙灣、獅球嶺、白米甕等炮台形成犄角之勢，護衛著基隆港，是一處已逾百年的古戰場。 由「槓子寮砲台」可原路由「龍崗自然生態步道」回海洋大學(可搭103、104至基隆車站)，或走「教忠步道」(500m)下到教忠街的教忠休閒公園(可搭104、201、202至基隆車站)，或循產業道路(立德路)出祥豐街(可搭101、103、104至基隆車站)。	**乘車資訊**：火車或客運至基隆轉乘基隆市公車103、104，或101(經祥豐街) **下車地點**：海洋大學濱海校門(101海洋大學祥豐門) **裝備**：☑一般 **其他**：
2016/1/9（週六） 烏來巫山 **標高**：1389m	**類別**：B、D **里程**：16km **流汗指數**：3 **階梯指數**：3 **難度指數**：3	**集合**：6:30 臺大校門口 **解散**： 臺大校門口	陳文翔 0972-651809 王碩盟 0972-651555	探勘烏來三峽間最神秘的山峰：巫山，享受原始森林之靈氣。 參考資料：登山補給站『2014.3.18 烏來福山村巫山、卡保新路 O』紀錄。	**乘車資訊**：汽車共乘 **下車地點**：烏福路12.9K阿玉商店登山口 **裝備**：備午餐、雨具、頭燈，建議穿雨鞋。 **其他**：本行程須事先報名
2016/1/10（週日） 八里左岸健行 **標高**：m	**類別**：A12 **里程**： **流汗指數**：1 **階梯指數**：1 **難度指數**：1	**集合**：8:00 捷運竹圍站 **解散**： 八里	許淑慧 0952-466520 陳華國 0928-513908	沿途大自然風光，可原路回，或過河順遊淡水。	**乘車資訊**：淡水捷運 **下車地點**：捷運竹圍站 **裝備**：☑一般 **其他**：

活動類別說明：**A**屬大衆路程；**B**屬健腳路程(高耗體力或高難度)；**C**屬中、高山行程(可能需參加行前訓練)；**D**屬事先報名(限額)活動

(A級不依里程數分類，而以登山時間區分：A10為3小時內可完成、A12為約4小時完成、A15為超過4小時，須在山上午餐。)

*流汗指數、階梯指數、難度指數：分1~5級，1最輕鬆，5最吃力，由領隊判斷，提供會員參考。

臺北市公車資訊網：http://www.taipeibus.taipei.gov.tw 新北市公車資訊網：http://e-bus.tpc.gov.tw/ 臺鐵列車時刻查詢：http://twtraffic.tra.gov.tw/twrail/

日期／活動名稱	活動類別	時間／地點	領隊／嚮導	行程簡介	備註
2016/ 1/16-1/17（週六、週日） 多望溪溫泉消遙遊 標高：500m	類別：B、D 里程：km 流汗指數：2 階梯指數：2 難度指數：3	集合：6:30 臺灣大學 解散： 臺灣大學	薛應智 0921-825566 宋福祥 0978-866772 高事宜 0920-872080	又是冷冷的寒冬了，厚厚雲層裡有著大家的笑聲，多年來我們共同走過一山又一山..... 今天嚮導群為大家帶來新的選擇→泡湯去 1/16 早上 8:30 到達土場就收費站後，整裝沿著多望橋下上行 4km，即可到達溫泉處。 參加者須能分攤團體裝備及其他雜銷支出等，參加者請遵守會規榮譽，勿私下離隊。	乘車資訊：汽車共乘 下車地點：大同鄉土場部落 裝備：雨具、登山杖、頭燈、保暖外套、行動糧，帶繩索，另備泳衣褲。 其他：本行程須事先報名
2016/1/17（週日） 淡蘭古道 標高：m	類別：A10 里程： 流汗指數：1 階梯指數：1 難度指數：1	集合：8:20 雙溪口 解散： 石碇老街	宋延齡 0939-919702 蔡懷楨 0939-919701	由雙溪口對岸溪邊健行至石碇老街。	乘車資訊：石碇線欣欣客運 666 下車地點：雙溪口站 裝備：☑一般 其他：景美國中對面站牌 7:00 前搭車。
2016/1/23（週六） 青山瀑布-老梅冷泉-土地公嶺連走 標高：526m	類別：B、D 里程： 流汗指數：3 階梯指數：3 難度指數：3	集合：7:00 臺大校門口 解散： 臺大校門口	陳文翔 0972-651809 柯文俊 0928-268565	大台北的秘境探索	乘車資訊：汽車共乘 下車地點：青山瀑布步道口 裝備：建議雨鞋，備午餐、雨具。 其他：本行程須事先報名
2016/1/24（週日） 白鷺鷥山 標高：142m	類別：A10 里程： 流汗指數：1 階梯指數：2 難度指數：1	集合：8:00 捷運大湖公園站 2 號出口 解散： 捷運大湖公園站	潘文傑 0922-475627 闕雅慧 0921-189506	白鷺鷥山，也稱十四份陂山，海拔僅 142m，毗鄰大湖公園，很容易親近。	乘車資訊：捷運文湖線 下車地點：捷運大湖公園站 裝備：☑一般 其他：
2016/1/31（週日） 木柵草湳大榕樹登石碇二格山 標高：592m	類別：A12 里程： 流汗指數：2 階梯指數：2 難度指數：2	集合：8:00 草湳大榕樹 解散： 二格山	潘文傑 0922-475627 闕雅慧 0921-189506	山區車班較少，請預留行車時間。 部份路段為土路，遇雨請穿著雨鞋。	乘車資訊：小 10、棕 15 下車地點：草湳 裝備：☑一般 其他：

活動類別說明：A屬大衆路程：B屬健腳路程(高耗體力或高難度)：C屬中、高山行程(可能需參加行前訓練)：D屬事先報名(限額)活動
(A級不依里程數分類，而以登山時間區分：A10為3小時內可完成、A12為約4小時完成、A15為超過4小時，須在山上午餐。)
*流汗指數、階梯指數、難度指數：分1~5級，1最輕鬆，5最吃力，由領隊判斷，提供會員參考。

臺北市公車資訊網：http://www.taipeibus.taipei.gov.tw 新北市公車資訊網：http://e-bus.tpc.gov.tw/ 臺鐵列車時刻查詢：http://twtraffic.tra.gov.tw/twrail/

日期／活動名稱	活動類別	時間／地點	領隊／嚮導	行程簡介	備註
2016/2/7（週日） (除夕)				新春愉快！	
2016/2/14（週日） **(新春開登)** 政大至青龍宮 標高：m	**類別**：A10 **里程**： **流汗指數**：1 **階梯指數**：1 **難度指數**：1	**集合**：8:00 政大校門口 **解散**： 青龍宮	陳文翔 0972-651809 許顯誠 0952-092720 吳依倩 0928-543530	由政大健行至青龍宮，休息後可循山徑小路下炮子崙道路，到深坑老街逛一逛。	**乘車資訊**：公車 236、237、282、611、530 **下車地點**：政大站 **裝備**：☑一般 **其他**：
2016/ 2/20-2/21 （週六、週日） **舊筏彎古道順訪沙拉彎瀑布** **標高**：800m	**類別**：B、D **里程**：10km **流汗指數**：2 **階梯指數**：2 **難度指數**：2	**集合**：6:00 高鐵台北站 **解散**： 高鐵台北站	薛應智 0921-825566 高事宜 0920-872080 林繼昌 0932-193190	舊筏灣古道又名平和古道，係聯絡北大武山區各部落間一條古路...我們大略的行程是這樣的： 第一天高鐵台北站第一班直達車>左營>舊筏灣部落>沙拉灣瀑布>夜宿舊筏灣 第二天舊筏灣部落>舊筏灣國小遺跡>古道>日真湯山>舊北大武登山口>新登山口(或往返舊筏灣)>高鐵左營站>台北 行程人數含領隊等計 16 人，報名截止後退出者仍須繳納部份款項或找人替補，參加者請遵守會規榮譽，勿私自離隊。	**乘車資訊**：高鐵 **下車地點**：舊筏彎部落 **裝備**：雨具、登山杖、頭燈、保暖外套、行動糧。 **其他**：本行程須事先報名
2016/2/21（週日） **菁山小鎮(絹絲瀑布站)-林蔭小路-絹絲瀑布-擎天崗** **標高**：750m	**類別**：A10 **里程**： **流汗指數**：1 **階梯指數**：1 **難度指數**：1	**集合**：8:30 絹絲瀑布站 **解散**： 擎天崗	許淑慧 0952-466520 陳華國 0928-513908	炎炎夏日何處去？那就來走一段這林蔭小路吧！且聞那清風徐來，綠竹低語，就在前方不遠處，涓涓水聲，潺潺溪水，讓瀑布中的陰離子洗滌全身，會暑氣全消的，最是闔家出遊的好日子。	**乘車資訊**：劍潭捷運站轉小 15 **下車地點**：絹絲瀑布站 **裝備**：☑一般 **其他**：
2016/2/28（週日） 石梯嶺 **標高**：900m	**類別**：A10 **里程**： **流汗指數**：1 **階梯指數**：1 **難度指數**：1	**集合**：8:30 擎天崗 **解散**： 擎天崗	葉瑞堯 0933-940966 詹麗雪 0982-135708	冬盡初春的頂山與石梯嶺，風景還是依舊一樣地美嗎？ 由擎天崗前行至石梯嶺頂後，欣賞北海岸風光與金山、萬里，天氣好的時候，可以看到基隆港外漁船點點，風景真是優美。 由於往頂山方向之風櫃口交通不便，原路來回。	**乘車資訊**：捷運劍潭站轉小 15 **下車地點**：擎天崗 **裝備**：☑一般 **其他**：輕鬆行。

活動類別說明：**A**屬大衆路程；**B**屬健腳路程(高耗體力或高難度)；**C**屬中、高山行程(可能需參加行前訓練)；**D**屬事先報名(限額)活動
(A級不依里程數分類，而以登山時間區分：A10為3小時內可完成、A12為約4小時完成、A15為超過4小時，須在山上午餐。)
*流汗指數、階梯指數、難度指數：分1~5級，1最輕鬆，5最吃力，由領隊判斷，提供會員參考。
臺北市公車資訊網：http://www.taipeibus.taipei.gov.tw　新北市公車資訊網：http://e-bus.tpc.gov.tw/　臺鐵列車時刻查詢：http://twtraffic.tra.gov.tw/twrail/

陳福成著作全編總目

壹、兩岸關係

①決戰閏八月
②防衛大台灣
③解開兩岸十大弔詭
④大陸政策與兩岸關係

貳、國家安全

⑤國家安全與情治機關的弔詭
⑥國家安全與戰略關係
⑦國家安全論壇。

參、中國學四部曲

⑧中國歷代戰爭新詮
⑨中國近代黨派發展研究新詮
⑩中國政治思想新詮
⑪中國四大兵法家新詮：孫子、吳起、孫臏、孔明

肆、歷史、人類、文化、宗教、會黨

⑫神劍與屠刀
⑬中國神譜
⑭天帝教的中華文化意涵
⑮奴婢妾匪到革命家之路：復興廣播電台謝雪紅訪講錄
⑯洪門、青幫與哥老會研究

伍、詩〈現代詩、傳統詩〉、文學

⑰幻夢花開一江山
⑱赤縣行腳・神州心旅
⑲「外公」與「外婆」的詩
⑳尋找一座山
㉑春秋記實
㉒性情世界
㉓春秋詩選
㉔八方風雲性情世界
㉕古晟的誕生
㉖把腳印典藏在雲端
㉗從魯迅文學醫人魂救國魂說起
㉘六十後詩雜記詩集

陸、現代詩（詩人、詩社）研究

㉙三月詩會研究
㉚我們的春秋大業：三月詩會二十年別集
㉛中國當代平民詩人王學忠
㉜讀詩稗記
㉝嚴謹與浪漫之間
㉞一信詩學研究：解剖一隻九頭詩鵠
㉟囚徒
㊱胡爾泰現代詩臆說
㊲王學忠籲天詩錄

柒、春秋典型人物研究、遊記

㊳山西芮城劉焦智「鳳梅人」報研究
㊴在「鳳梅人」小橋上
㊵我所知道的孫大公

2015 年 9 月後新著

編號	書　　　名	出版社	出版時間	定價	字數(萬)	內容性質
81	一隻菜鳥的學佛初認識	文史哲	2015.09	460	12	學佛心得
82	海青青的天空	文史哲	2015.09	250	6	現代詩評
83	為播詩種與莊雲惠詩作初探	文史哲	2015.11	280	5	童詩、現代詩評
84	世界洪門歷史文化協會論壇	文史哲	2016.01	280	6	洪門活動紀錄
85	三搞統一：解剖共產黨、國民黨、民進黨怎樣搞統一	文史哲	2016.03	420	13	政治、統一
86	緣來艱辛非尋常－賞讀范揚松仿古體詩稿	文史哲	2016.04	400	9	詩、文學
87	大兵法家范蠡研究－商聖財神陶朱公傳奇	文史哲	2016.06	280	8	范蠡研究
88	典藏斷滅的文明：最後一代書寫身影的告別紀念	文史哲	2016.08	450	8	各種手稿
89	葉莎現代詩研究欣賞：靈山一朵花的美感	文史哲	2016.08	220	6	現代詩評
90	臺灣大學退休人員聯誼會第十屆理事長實記暨 2015～2016 重要事件簿	文史哲	2016.04	400	8	日記
91	我與當代中國大學圖書館的因緣	文史哲	2017.04	300	5	紀念狀
92	廣西參訪遊記（編著）	文史哲	2016.10	300	6	詩、遊記
93	中國鄉土詩人金土作品研究	文史哲	2017.12	420	11	文學研究
94	暇豫翻翻《揚子江》詩刊：蟾蜍山麓讀書瑣記	文史哲	2018.02	320	7	文學研究
95	我讀上海《海上詩刊》：中國歷史園林豫園詩話瑣記	文史哲	2018.03	320	6	文學研究
96	天帝教第二人間使命：上帝加持中國統一之努力	文史哲	2018.03	460	13	宗教
97	范蠡致富研究與學習：商聖財神之實務與操作	文史哲	2018.06	280	8	文學研究
98	光陰簡史：我的影像回憶錄現代詩集	文史哲	2018.07	360	6	詩、文學
99	光陰考古學：失落圖像考古現代詩集	文史哲	2018.08	460	7	詩、文學
100	鄭雅文現代詩之佛法衍繹	文史哲	2018.08	240	6	文學研究
101	林錫嘉現代詩賞析	文史哲	2018.08	420	10	文學研究
102	現代田園詩人許其正作品研析	文史哲	2018.08	520	12	文學研究
103	莫渝現代詩賞析	文史哲	2018.08	320	7	文學研究
104	陳寧貴現代詩研究	文史哲	2018.08	380	9	文學研究
105	曾美霞現代詩研析	文史哲	2018.08	360	7	文學研究
106	劉正偉現代詩賞析	文史哲	2018.08	400	9	文學研究
107	陳福成著作述評：他的寫作人生	文史哲	2018.08	420	9	文學研究
108	舉起文化使命的火把：彭正雄出版及交流一甲子	文史哲	2018.08	480	9	文學研究

109	我讀北京《黃埔》雜誌的筆記	文史哲	2018.10	400	9	黃埔歷史
110	北京天津廊坊參訪紀實	文史哲	2019.12	420	8	遊記
111	觀自在綠蒂詩話：無住生詩的漂泊詩人	文史哲	2019.12	420	14	文學研究
112	中國詩歌墾拓者海青青：《牡丹園》和《中原歌壇》	文史哲	2020.06	580	6	詩、文學
113	走過這一世的證據：影像回顧現代詩集	文史哲	2020.06	580	6	詩、文學
114	這一是我們同路的證據：影像回顧現代詩題集	文史哲	2020.06	540	6	詩、文學
115	感動世界：感動三界故事詩集	文史哲	2020.06	360	4	詩、文學
116	印加最後的獨白：蟾蜍山萬盛草齋詩稿	文史哲	2020.06	400	5	詩、文學
117	台大遺境：失落圖像現代詩題集	文史哲	2020.09	580	6	詩、文學
118	中國鄉土詩人金土作品研究反響選集	文史哲	2020.10	360	4	詩、文學
119	夢幻泡影：金剛人生現代詩經	文史哲	2020.11	580	6	詩、文學
120	范蠡完勝三十六計：智謀之理論與全方位實務操作	文史哲	2020.11	880	39	戰略研究
121	我與當代中國大學圖書館的因緣（三）	文史哲	2021.01	580	6	詩、文學
122	這一世我們乘佛法行過神州大地：生身中國人的難得與光榮史詩	文史哲	2021.03	580	6	詩、文學
123	地瓜最後的獨白：陳福成長詩集	文史哲	2021.05	240	3	詩、文學
124	甘薯史記：陳福成超時空傳奇長詩劇	文史哲	2021.07	320	3	詩、文學
125	芋頭史記：陳福成科幻歷史傳奇長詩劇	文史哲	2021.08	350	3	詩、文學
126	這一世只做好一件事：為中華民族留下一筆文化公共財	文史哲	2021.09	380	6	人生記事
127	龍族魂：陳福成籲天錄詩集	文史哲	2021.09	380	6	詩、文學
128	歷史與真相	文史哲	2021.09	320	6	歷史反省
129	蔣毛最後的邂逅：陳福成中方夜譚春秋	文史哲	2021.10	300	6	科幻小說
130	大航海家鄭和：人類史上最早的慈航圖證	文史哲	2021.10	300	5	歷史
131	欣賞亞媺現代詩：懷念丁穎中國心	文史哲	2021.11	440	5	詩、文學
132	向明等八家詩讀後：被《食餘飲後集》電到	文史哲	2021.11	420	7	詩、文學
133	陳福成二〇二一年短詩集：躲進蓮藕孔洞內乘涼	文史哲	2021.12	380	3	詩、文學
134	中國新詩百年名家作品欣賞	文史哲	2022.01	460	8	新詩欣賞
135	流浪在神州邊陲的詩魂：台灣新詩人詩刊詩社	文史哲	2022.02	420	6	新詩欣賞
136	漂泊在神州邊陲的詩魂：台灣新詩人詩刊詩社	文史哲	2022.04	460	8	新詩欣賞
137	陸官 44 期福心會：暨一些黃埔情緣記事	文史哲	2022.05	320	4	人生記事
138	我躲進蓮藕孔洞內乘涼–2021 到 2022 的心情詩集	文史哲	2022.05	340	2	詩、文學
139	陳福成 70 自編年表：所見所做所寫事件簿	文史哲	2022.05	400	8	傳記
140	我的祖國行腳詩鈔：陳福成 70 歲紀念詩集	文史哲	2022.05	380	3	新詩欣賞

141	日本將不復存在：天譴一個民族	文史哲	2022.06	240	4	歷史研究
142	一個中國平民詩人的天命：王學忠詩的社會關懷	文史哲	2022.07	280	4	新詩欣賞
143	武經七書新註：中國文明文化富國強兵精要	文史哲	2022.08	540	16	兵書新注
144	明朗健康中國：台客現代詩賞析	文史哲	2022.09	440	8	新詩欣賞
145	進出一本改變你腦袋的詩集：許其正《一定》釋放核能量	文史哲	2022.09	300	4	新詩欣賞
146	進出吳明興的詩：找尋一個居士的圓融嘉境	文史哲	2022.10	280	5	新詩欣賞
147	進出方飛白的詩與畫：阿拉伯風韻與愛情	文史哲	2022.10	440	7	新詩欣賞
148	孫臏兵法註：山東臨沂銀雀山漢墓竹簡	文史哲	2022.12	280	4	兵書新注
149	鬼谷子新註	文史哲	2022.12	300	6	兵書新注
150	諸葛亮兵法新註	文史哲	2023.02	400	7	兵書新注
151	中國藏頭詩(一)：范揚松講學行旅詩欣賞	文史哲	2023.03	280	5	新詩欣賞
152	中國藏頭詩(二)：范揚松春秋大義詩欣賞	文史哲	2023.03	280	5	新詩欣賞
153	華文現代詩三百家	文史哲	2023.06	480	7	新詩欣賞
154	晶英客棧：陳福成詩科幻實驗小說	文史哲	2023.07	240	2	新詩欣賞
155	廣州黃埔到鳳山黃埔：44 期畢業 50 週年暨黃埔建校建軍百年紀念	文史哲	2023.08	340	5	歷史研究
156	神州邊陲荒蕪之島：陳福成科幻生活相片詩集	文史哲	2023.10	500	2	新詩欣賞
157	吳信義回憶錄：今世好因緣	文史哲	2023.11	340	6	傳記
158	在北京《黃埔》雜誌反思	文史哲	2024.01	320	5	黃埔歷史
159	在北京《黃埔》雜誌回顧：陸官 44 期畢業 50 週年紀念	文史哲	2024.01	320	6	黃埔歷史
160	黃埔人的春秋大業：北京《黃埔》雜誌展鴻圖	文史哲	2024.03	320	6	黃埔歷史
161	跟台大登山會這些年	文史哲	2024.05	360	2	詩、文學

陳福成國防通識課程著編及其他作品

（各級學校教科書及其他）

編號	書　　　　名	出版社	教育部審定
1	國家安全概論（大學院校用）	幼　獅	民國 86 年
2	國家安全概述（高中職、專科用）	幼　獅	民國 86 年
3	國家安全概論（台灣大學專用書）	台　大	（臺大不送審）
4	軍事研究（大專院校用）（註一）	全　華	民國 95 年
5	國防通識（第一冊、高中學生用）（註二）	龍　騰	民國 94 年課程要綱
6	國防通識（第二冊、高中學生用）	龍　騰	同
7	國防通識（第三冊、高中學生用）	龍　騰	同
8	國防通識（第四冊、高中學生用）	龍　騰	同
9	國防通識（第一冊、教師專用）	龍　騰	同
10	國防通識（第二冊、教師專用）	龍　騰	同
11	國防通識（第三冊、教師專用）	龍　騰	同
12	國防通識（第四冊、教師專用）	龍　騰	同

註一　羅慶生、許競任、廖德智、秦昱華、陳福成合著，《軍事戰史》（臺北：全華圖書股份有限公司，二〇〇八年）。

註二　《國防通識》，學生課本四冊，教師專用四冊。由陳福成、李文師、李景素、頊臺民、陳國慶合著，陳福成也負責擔任主編。八冊全由龍騰文化事業股份有限公司出版。